LA PRIÈRE ET LA MÉDITATION

OASIS

13

channelé par
JRobert

Pour l'ensemble de nos activités d'édition, nous reconnaissons avoir reçu l'aide financière du gouvernement du Canada par l'entremise du Programme d'Aide au Développement de l'Industrie de l'Édition (PADIÉ) et de la Société de Développement des Entreprises Culturelles du Québec (SODEC) dans le cadre du Programme d'aide aux entreprises du livre et à l'édition spécialisée.

13-La prière et la méditation

C.P. 48727, CSP Outremont
Montréal (Québec) Canada H2V 4T3
Téléphone : (514) 276-8855 Télécopie : (514) 276-1618
editeur@editionsberger.qc.ca • http://www.editionsberger.qc.ca

Dépôts légaux : 4e trimestre 2001
Bibliothèque nationale du Québec et du Canada
Bibliothèque nationale de Paris
Ministère de l'intérieur de France

ISBN 2-921416-36-0

Canada : Flammarion-Socadis, 350, boul. Lebeau,
Saint-Laurent (Québec) Canada H4N 1W6
Téléphone : 514-331-3300; télécopie : 514-745-3282

France, Belgique : D.G. Diffusion Livres
Rue Max Planck, C.P. 734, 31683 Labège Cedex France
Téléphone : 05-61-62-70-62; télécopie : 05-61-62-95-53

Suisse : Servidis SA, 5 rue des Chaudronniers, Case postale 3663 CH-1211 Genève 3 Suisse
Téléphone : (022) 960 95 25; télécopie : (022) 776 35 27

Imprimé au Canada
1 2 3 4 5 IT 2005 2004 2003 2002 2001

La prière

Quand on vous adresse une prière, est-ce que vous l'entendez ?

Bien sûr. Cependant, nous n'entendons pas la prière de ceux qui l'adressent comme s'ils la lancaient en l'air, sans trop y croire. Le plus intéressant dans une prière, ce ne sont pas les paroles, vous le savez déjà. Le simple fait d'y penser est beaucoup plus rapide. Rappelez-vous, nous n'utilisons pas des mots mais des images pour communiquer. Que ce soit avec une Entité, un groupe d'Entités, ou avec nous-mêmes, tout ce qu'il vous faut, c'est une pensée dirigée vers nous, en bonne connaissance de ce que nous sommes, mais de façon imagée uniquement. Lorsque nous transmettons vers cette forme [Robert], nous n'employons pas de mots. C'est son cerveau qui les retransmet. Il nous faut réécouter tout ce qui se dit pour bien nous assurer que cela correspond à l'image. C'est la même chose de votre côté. Si vous faites une prière et que vous voulez nous l'adresser, vous n'avez qu'à y penser, ce sera suffisant.

Mais dans quel sens pouvez-vous utiliser la prière pour nous ? En quoi la prière pourrait-elle nous aider ?

Quand je vous adresse une prière, c'est pour avoir une réponse pour moi ou un souhait.

Dans ce cas, le sens de la prière n'est pas celui que vous croyez. Utiliser des prières déjà connues et faire que la prière soit plutôt une demande sont deux choses différentes. Selon les convictions religieuses déjà établies, vous aurez beau réciter 30 Notre Père pour que nous vous aidions, si vous ne faites que réciter, nous nous lasserons, tout comme vous. Le simple fait d'entendre répéter continuellement n'a aucun avantage si ce n'est de vous convaincre que vous savez bien cette prière par coeur.

Cela peut aussi être pour voir plus clair dans un chemin à suivre ?

Par la prière elle-même ? Oui, cela pourrait toujours vous autohypnotiser à la longue. Ce n'est pas le sens de la prière. Nous l'avons déjà expliqué dans une session précédente. La prière comme telle est toujours pour vous, mais de façon individuelle. Vous n'êtes pas obligés de réciter des prières déjà connues, vous pouvez en écrire une vous-mêmes. Mais si vous faites une demande, c'est différent. Vous pouvez toujours prier pour vous et nous adresser vos demandes. Nous y accéderons. Si la prière vous aide à entrer dans une forme de concentration, cela peut être une idée. D'un autre côté, si vous saviez à quel point vous êtes tous suivis, que ce soit par des Entités ou dans certains cas par des Cellules ! Nous savons tout ce qui se passe; vous aurez beau prier et prier tant que vous voudrez, nous écouterons tout de même la demande. La prière, pour nous, n'a pas plus d'utilité, mais si elle vous donne confiance de votre côté, tant mieux. *(Les chercheurs de vérité, III, 17-03-1990)*

Ma question porte sur la valeur du signe de la croix et du Notre Père ?

Nous avons expliqué dans des sessions précédentes ce que pouvait être le Notre Père et le signe de la croix. Lorsque vous dites « Au nom du Père », c'est au nom de l'Ensemble. Dites « Au nom de Dieu », si vous voulez; c'est la même chose. Le Fils, c'est vous, pas son fils Jésus, vous, l'Âme en vous, si vous préférez; c'est en vous. Et la conscience est l'esprit de paix dans cela, l'union, l'union consciente. Si cela peut vous aider, faites-le; si cela peut vous aider à prendre conscience de vos valeurs, très bien. Rappelez-vous, tout ce que vous pouvez retirer, que ce soit de la religion ou de nous, prenez-le de façon positive, de façon à vous en servir pour vous, pour vous aider uniquement. C'est un outil. *(Alpha et omega, III, 18-08-1990)*

Tout à l'heure, vous avez mentionné qu'il était préférable de se souvenir d'une image pour vous appeler plutôt que de mots. De quelle façon peut-on...

Vous avez déjà créé une image de nous. N'avez-vous pas, Françoise, conçu un emblème ? C'est une image qui nous associe à un nom. Il faut comprendre qu'étant donné que nous n'avons jamais eu de forme, nous avons dû trouver des associations qui pourraient vous relier à nous. Il arrive que plusieurs d'entre vous puissent nous appeler et avoir des sentiments à notre égard, comme s'ils pouvaient nous percevoir en fait. Si vous pouvez recréer dans votre imagination l'énergie que vous percevez actuellement, cela équivaut à nous appeler. Nous le percevons et c'est une demande.

Si on ne perçoit pas l'énergie que vous dégagez, comment à ce moment-là, à part

l'emblème, peut-on vous visualiser, vous percevoir ?

Vous savez, si vous ne pouvez percevoir notre énergie actuellement, il nous sera fort difficile de nous laisser percevoir autrement. Parce que toutes les personnes qui nous ont bien perçues – il y en a plusieurs ici même – lorsqu'elles ont ressenti cela, nous étions à leurs côtés, sans exception. Nous vous avons déjà dit aussi que votre plus grande force était l'imagination. Au tout début, cela demande de la pratique pour forcer votre forme à percevoir ce qui n'est pas elle-même. Lorsqu'une demande est faite, nous travaillons aussi dans ce sens, pour vous aider. Ce peut être par des événements, des hasards – comme si cela existait –, par des rencontres que nous pourrions vous faire faire dans le but de vous aider à comprendre. Nous avons plusieurs moyens pour cela. *(Alpha et omega, III, 18-08-1990)*

Pouvez-vous préciser votre propos concernant le fait « d'aller chercher de l'aide à l'extérieur » ?

Il est trop tôt pour que nous répondions à cette question. Vous aurez tout de même cette réponse plus tard au cours des sessions; n'ayez aucune crainte, nous ne l'oublierons pas. Nous n'avons pas pour but de vous donner des connaissances, mais d'éclaircir vos connaissances de façon à ce que vous gardiez seulement ce qui est utile là où vous en êtes actuellement, pas le surplus. Certains d'entre vous retiendront quelques-uns de nos propos; d'autres, non. Il ne s'agit pas de retenir tout ce que nous disons, mais seulement ce qui vous convient. Notre but n'est pas de vous embrouiller, ni de vous dire quoi faire non plus. Nous voulons faire en sorte, et nous ferons tout pour cela, que vous puissiez comprendre de vous-même. Ce sera valable parce que cela ne vous apportera pas de doute. Comme cette session est pratiquement la première pour vous, vous avez encore des milliers de questions à nous poser, toutes aussi intéressantes les unes que les autres. Dans ce groupe, 11 personnes ont refusé de poser leurs questions face à la mort et ont des craintes profondes. Lorsque vous vous occupez trop de vos formes, vous en arrivez à oublier votre réalité profonde. D'où l'importance, à toutes les fois que surgit une question, de la développer à fond pour être certain de bien comprendre. Personne ici n'a le droit de prétendre savoir plus qu'un autre, au contraire ! Vous n'avez pas choisi un développement personnel, individuel, parce que vous savez fort bien que vous n'auriez pas eu toutes les réponses, même si vous aviez lu tous les livres disponibles. Vous avez plutôt choisi une démarche de groupe. Laissez-nous vous dire une chose : dans notre optique, un groupe n'est qu'un, pensez-y bien. C'est aussi pour cela que nous vous avons dit de demander lorsque vous aurez besoin de nous. Nous vous avons même dit comment vous y prendre. Si vous ne pouvez percevoir nos énergies, vous n'avez qu'à imaginer l'emblème et vous aurez la perception de nous. C'est une question d'habitude de votre part. *(Maat, II, 01-12-1990)*

Vous avez dit qu'on pouvait vous demander en visualisant l'emblème. Est-ce qu'on a intérêt à passer d'abord par l'Âme et comment l'Âme peut-elle s'offusquer si l'on s'adresse directement à vous ?

Elle ne le fera pas, pour une simple raison. Si vous deviez passer par des Entités, l'Âme ne vous laisserait pas faire. Elle vous ferait voir toutes sortes d'expériences diverses pour vous en décourager. Lorsqu'il s'agit de Cellules, c'est fort différent. Ce sont les Cellules que votre Âme veut rejoindre, donc, vous ne lui nuirez pas. C'est une distinction à faire. *(Harmonie, III, 09-01-1991)*

Lorsqu'on s'adresse à vous et que vous nous répondez, est-ce sous forme de rêve ?

Nous vous répondons de deux façons : soit que nous envoyions en vous une image très claire qui vous donne une réponse, soit que nous accédions à votre demande et que vous ayez un résultat direct. Les deux façons sont possibles. Vous comprenez cela ?

Oui.

Tout dépendra de votre demande. Si nous le pouvons et que nous trouvons que cette demande est justifiée, qu'elle pourrait vous aider dans votre cheminement personnel, et s'il nous fallait influencer quelqu'un d'autre ou des événements de votre vie, nous le ferions directement. Par contre, si vous n'avez pas assez confiance en cela, nous ferions en sorte de vous faire voir la réponse. D'un côté comme de l'autre, vous auriez une réponse. Surtout ! lorsque vous aurez formulé cette demande une fois, cessez de la répéter. Une fois suffit pour que nous comprenions. Sinon, nous attendrons que vous cessiez de poser la même question pour vous donner une réponse. *(Harmonie, III, 09-01-1991)*

***asis, comment vous contacter ?***

Cela a été mentionné à plusieurs reprises dans cette session. Pas par des mots surtout, sinon vous allez répéter souvent ! *(Harmonie, III, 09-01-1991)*

Pouvons-nous ou devons-nous communiquer avec vous quotidiennement et, si oui, comment le faire ?

Nous pensions avoir déjà répondu à cela.

Devons-nous ?

Seulement lorsque vous en avez réellement besoin. Si vous le faites juste pour vous prouver que vous le pouvez, nous ne viendrons pas chaque fois. Qu'arrive-t-il lorsque vous appelez au secours pour rien ? Est-ce que les gens viennent chaque fois ? Et combien de fois viennent-ils ? Ils finissent par croire que vous n'avez pas réellement besoin d'aide. Il en va de même pour nous. Si vous n'abusez pas, si vous nous appelez lorsque vous avez vraiment besoin de nous, nous y serons. Si, par contre, vous faites cela juste pour vous prouver, nous allons juste vous observer jusqu'à ce que vous admettiez que cela puisse se faire. *(Le fil d'Ariane, III, 16-11-1991)*

Est-ce qu'il faut toujours passer par notre Âme lorsqu'on fait une demande ?

C'est la première des conditions. Certaines personnes le font consciemment; elles sont très habiles, elles savent très bien visualiser, créer. Elles peuvent se faire influencer directement par des Entités et elles trouveront une Entité pour le faire, mais cela ne donnerait rien car cela punirait non seulement la forme mais l'Âme elle-même qui a suffisamment de problèmes pour maîtriser sa forme. Si l'Âme doit aller à l'extérieur pour trouver ses réponses, à quoi bon son expérience de vie dans la forme ? Ce qu'il vous faut toujours comprendre, c'est que le seul lien que vous aurez avec l'extérieur sera celui de votre Âme. Dès que vous avez à demander quelque chose, formulez votre demande à l'intérieur de vous-mêmes et si votre demande vous semble honnête, de juste valeur et non pas exagérée, elle sera retransmise ou votre Âme elle-même y pourvoira et cela se fait très bien. Mais si vous n'avez aucune conviction et que vous préférez croire aux valeurs extérieures à vous, il y aura un problème simplement parce que vous n'aurez pas droit à cet accès. Nous croyons que le but de vos vies, le but de l'Âme et de la forme, et les moyens que vous prendrez pour y parvenir seront les vôtres. Certains diront : « Très bien, mais je préfère une méthode fondée sur les couleurs qui sera bien adaptée à moi-même pour m'équilibrer, pour prendre confiance dans la vie, dans ma forme et pour mieux percevoir mon Âme. » Cela peut être une autre méthode. D'autres vous diront : « Moi, je préfère la méditation ou une concentration profonde à l'intérieur, j'obtiens un résultat. » Bien, toutes ces méthodes sont valables mais le temps et la volonté que vous y mettrez fera la différence.

Si cela ne fait votre affaire qu'une fois de temps à autre et que vous vous dites : « La spiritualité ?... Lorsque j'ai le temps ! », vous verrez que ce sera plus long et que votre Âme ne vous écoutera que lorsqu'elle aura le temps. Puis vous en viendrez à dire : « Cela n'existe pas et cela ne répond pas à mes besoins ou ne répond plus à mes besoins » et ce sera le découragement pour quelque temps. Puis, vous y reviendrez : « J'étais plus heureuse lorsque je cherchais cette vérité, lorsqu'il y avait une vibration d'amour en moi »; puis il y aura recherche encore une fois. Les demandes se feront toujours par vous-mêmes et en vous. Si vous utilisez l'influence des autres, comment pourrez-vous y parvenir ? Il y aura mélange de convictions, un mélange de croyances et de doutes. Avons-nous répondu à votre question ? Ce ne sera pas le nombre de questions qui comptera mais la certitude d'avoir bien compris. *(Les chercheurs de vérité, III, 17-03-1990)*

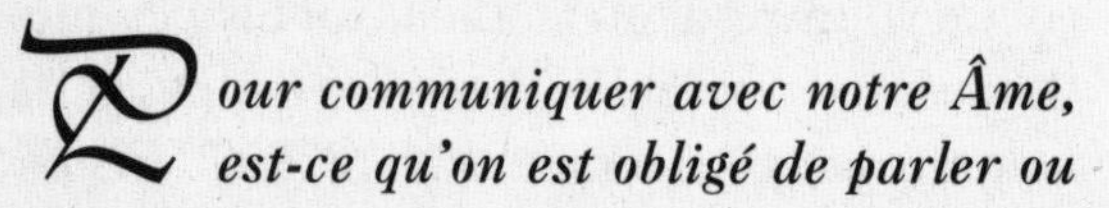

Pour communiquer avec notre Âme, est-ce qu'on est obligé de parler ou

de formuler comme on le fait avec vous, ou est-ce qu'on peut juste ressentir quelque chose et dire un mot puis c'est assez ?

Tout à fait, mais vous pouvez aussi seulement visualiser puisque votre Âme ne comprendra pas les mots.

Juste ressentir, est-ce que c'est assez ?

C'est la même chose que visualiser parce que, pour ressentir, il faut que vous visualisiez de toute façon. C'est fort similaire lorsque vous voulez nous contacter. Vous aurez beau prononcer le mot Oasis, nous ne l'entendrons pas, mais le simple fait de visualiser ce que nous représentons pour vous, ce sera immédiat. *(Alpha et omega, IV, 22-09-1990))*

Au sujet de la prière, lorsqu'on fait une demande, comment expliquer un résultat négatif ? Par exemple, si une personne a un problème physique, qu'elle essaye de comprendre son mal ou sa maladie et que, malgré son cheminement médical et psychologique, elle n'arrive pas à diminuer son problème. Lorsqu'elle prie, il y a deux possibilités : amélioration ou continuité. S'il y a continuité, pourquoi ce refus ? Est-ce un refus de l'Âme ou celui des Cellules ?

Est-ce que ce pourrait être aussi l'incroyance à la prière elle-même ? Simplement le fait de prier et de vous dire : « Mon travail est fait, maintenant. »

Quand elle prie, elle sait très bien ce qu'elle dit.

Vous savez, entre dire et croire... Ce doit être perçu beaucoup plus profondément. Nous avons déjà dit que ce n'est pas le nombre de prières qui compte, mais la direction qu'elle prend. La prière est une base; vous pouvez appeler cela les fondations de la foi. Mais la prière est aussi un test qui sert à vérfier la profondeur de vos croyances. Pouvons-nous vous apporter un exemple ?

Supposons, tel que vous l'avez mentionné, que les faits sont véridiques et que vous priez depuis deux ou trois mois. Selon votre perception du temps, cela peut vous paraître long ou court; mais pour nous, c'est encore trop court pour être calculé. Supposons que c'est véridique et qu'au bout de deux mois, après un léger changement pour le mieux, le problème revenait comme auparavant. Vous avez alors deux choix. Vous pouvez vous dire : « Ça n'a servi à rien, je n'ai pas la bonne méthode », et vous plaindre : « Ma prière n'est pas bonne, ça ne fonctionne pas, ce n'est pas juste. » Ou encore vous pouvez vous dire : « Est-ce que c'est un test pour voir à quel point j'ai de l'endurance, pour savoir si ma croyance est valable ? » Devriez-vous en rire ou en pleurer ? Vos formes ne sont pas stupides non plus. Elles sont au courant de vos émotions, pas trois jours plus tard, pas deux heures plus tard, mais à l'instant même où vous pensez. Si vous voulez convaincre vos cellules que vous voulez la guérison, vous n'y arriverez pas seulement par une prière. La prière est pour le conscient, pour vous habituer à vouloir demander et à pouvoir demander. C'est ce que vous ressentez au moment de la prière qui compte. Si vous n'avez pas les vibrations des mots et de la pensée totale de l'ensemble de cette prière, votre prière ne sera pas perçue. Comprenez-vous mieux ? Est-ce certain ?

Oui.

Vous pourriez prier aussi avec des couleurs, non pas en associant une couleur avec un problème, mais en vivant ces couleurs. Si une couleur vous apporte la paix, imaginez-la plus souvent. Si, d'un autre côté, vous êtes plus à l'aise dans la méditation et la prière, il faut que le conscient soit convaincu de leur valeur, car il faut que vous vibriez intérieurement de façon à être en accord avec la prière. Cela ne peut pas guérir tous vos problèmes physiques, car ils sont parfois associés à des maladies héréditaires et, lorsque ces maladies sont dans vos formes, ce n'est pas évident que la pensée les guérira. *(Les chercheurs de vérité, IV, 21-04-1990)*

Vous qui avez des connaissances religieuses profondes, ne vous a-t-il pas été dit aussi : « Demandez et vous recevrez » ? Il ne vous a pas été dit de demander n'importe comment, n'importe où. Mais demandez-vous-le et vous recevrez ce que vous voudrez. Visualisez si vous voulez, mais demandez tout de même. Vos possibilités sont sans limite. Si vous voulez réellement les percevoir, travaillez avec la visualisation. En cela, nous pourrons vous aider. Par contre, si vous accordez à nos réponses la simple valeur de connaissances, vous serez comblés aussi. Cependant, vous vous direz : « J'ai appris, mais je n'ai pas vécu. » Entre la simplicité de vivre et la complexité de vivre, il y a une différence. *(Alpha et omega, I, 23-06-1990)*

Si des malades prient avec leur crucifix, est-ce que cela va les rendre plus malades ?

Dans certains cas, surtout si ces gens qui prient voient la douleur de Jésus sur leur crucifix, ils verront leurs propres douleurs.

Donc, ces gens ne comprennent pas pourquoi, mais ils acceptent de souffrir comme Jésus l'aurait fait. Donc, ils acceptent la maladie. Par contre, ceux qui prient pour ne plus souffrir, le font bien souvent dans l'ignorance. Ils prient sans savoir qu'il faut qu'ils prient pour eux-mêmes. Prier, vous savez ce que cela veut dire ? Cela veut dire demander. Prier, c'est demander. Quand vous priez pour obtenir une réponse, ne dites-vous pas : je vous prie de m'accorder ? Donc, vous vous demandez. Si vous priez à l'extérieur de vous ou si vous priez toujours des saints, etc., vous n'aurez rien parce que la prière passe par vous, parce que c'est pour vous. Est-ce que c'est bien compris ?

Oui.

Nous allons vous donner un exemple. Vous savez qu'il y a des gens qui prient pour différentes raisons, n'est-ce pas ? Vous allez regarder notre cher musicien et vous allez vous dire en dedans de vous : j'aime ce qu'il vit car c'est sa réalité. Maintenant, vous allez lui demander ce qu'il entend. Il vous répondra : « Je n'ai rien entendu. » Donc, ce que vous ne dites pas est ignoré. Vous avez des corps, servez-vous-en donc. Ceux qui prient font la même chose : ils ne savent pas comment. Vous voulez être entendus dans vos prières, dites-le. Vous voulez dire à une personne que vous l'aimez ? Cessez d'attendre qu'elle vous le dise, elle ne vous entend pas... Dites-le ! *(Les flammes éternelles, I, 24-11-1990)*

Peut-on demander de l'aide pour nous aider dans une compétence dans laquelle on est moins habile ?

Tout dépendra si vous voulez faire les efforts nécessaires. Si vous ne faites que demander et que vous ne faites rien, cela n'aura aucune valeur. Par contre, si vous vous faites confiance et que vous faites tout ce qu'il faut pour développer cette nouvelle compétence, tout se réalisera et effectivement, vous recevrez de l'aide. Pas si vous faites le contraire. Tous les grands compositeurs ont eu en premier une connaissance de base de la musique pour recevoir ensuite les impulsions et les directives nécessaires pour composer, sinon ils n'auraient jamais pu composer. Si vous voulez de l'aide dans un domaine, il vous faut prendre conscience de tous ces efforts qu'il vous faudra fournir et le vouloir. Alors vous recevrez l'aide. Il vous faudra apprendre aussi à recevoir, à être en état de recevoir, à modifier les vibrations de vos formes. Une forme très stressée, surexcitée, ne peut recevoir. Pour recevoir de l'extérieur, il faut aussi porter attention, comme pour l'intuition d'ailleurs, à tout ce qui viendra de vous, tout ce qui viendra de votre cerveau. Vous saurez très bien que cela n'est pas de vous. Pour cela, il faut que vous fassiez aussi une partie des efforts nécessaires. *(Les flammes éternelles, III, 11-05-1991)*

S'il arrive quelque chose comme un accident et qu'on est stressé et qu'on demande une protection, est-ce qu'on va l'avoir ?

Avant ou après ?

Avant.

Donc, vous ne savez pas qu'il y aura un accident, donc vous ne pouvez pas demander. Qui d'entre vous n'a jamais besoin de protection ? Vous avez tous le choix. En fait, vous demandez tous les jours de la protection, sauf que vous n'y croyez pas. C'est cela la différence ! Demander réellement de la protection ou de l'aide veut dire non seulement y croire, mais le vivre. Le vivre à un point tel que, dans votre esprit, il ne fait aucun doute que vous avez de l'aide, pas seulement lorsque vous en avez besoin mais en tout temps. C'est ce que nous voulions vous expliquer au début de cette session lorsque nous vous disions d'être vrai, de ne pas tricher, d'avoir totalement confiance en vous. Oh ! vous ferez des erreurs, mais elles vous aideront à mieux progresser, à pouvoir aller de l'avant. Que feriez-vous de vos vies s'il n'y avait pas d'erreurs ? Juste jouer... vos vies seraient longues et vous chercheriez des problèmes. *(Les flammes éternelles, III, 11-05-1991)*

J'aime être en contact avec mon Âme et je sais que je peux lui demander des choses, mais la plupart du temps, je ne sais pas quoi lui demander sauf de s'occuper de moi.

Ne trouvez-vous pas que c'est suffisant ? En faisant cela, vous êtes très ratoureuse, vous lui laissez la porte ouverte à tout. Son discernement devra être très grand, mais le vôtre aussi dans la compréhension, sinon vous n'apprendrez pas à reconnaître ce qu'elle fera pour vous. C'est un peu comme si vous lui disiez : « Montre-moi le monde, j'accepte tout. » Lorsqu'elle vous donnera une simple fleur, saurez-vous reconnaître que cela vient d'elle aussi bien qu'un vison ? Vos valeurs ne sont pas les mêmes ! Bien souvent, une fleur a plus de valeur qu'un vison, tout dépend de qui la recevra. Vous avez demandé et, comme tout être humain, vous attendez des preuves. Donc, premièrement, sachez reconnaître qu'elle existe. Deuxièmement, ayez confiance qu'elle existe, et ce dans chaque instant de votre vie.

Troisièmement, demandez-lui quelque chose, mais n'oubliez pas la règle du donnant, donnant. Ce qu'elle vous donnera, vous devrez aussi lui rendre, ne serait-ce qu'en lui disant merci, ne serait-ce qu'en reconnaissant et en ne doutant pas que cela provient d'elle, sinon elle se fatiguera, tout comme ceux ou celles qui ont beaucoup donné aux autres en n'attendant rien en retour. Ceux-là n'ont pas compris que la règle du donnant, donnant s'appliquait aussi à eux, n'est-ce pas Jacqueline ? Ils apprennent à leurs dépens que leurs formes raisonnent – leurs formes, nous n'avons pas dit le cerveau ! –, que chacune des cellules de leur forme comprend et interréagit sur les autres. Si vous reconnaissez la réalité du donnant, donnant, votre forme et vos pensées s'ajusteront. Si vous allez uniquement vers la connaissance, vers la conscience, vers l'extérieur de vous, en sens unique, sans rien attendre en retour, vous allez brûler vos formes au sens réel du terme; vous allez les épuiser au point de ne plus être vous-mêmes, au point de ne plus vous reconnaître. Ce faisant, les autres ne vous reconnaîtront pas non plus, et vous croirez qu'ils ne vous comprennent pas. Vous croirez que les autres ne saisissent pas ce que vous êtes. Donc, l'interrelation qu'il y a déjà dans vos formes, entre la conscience et la forme elle-même, est déjà un Univers en soi. Il y a deux façons de voir tout cela. Ou vous regardez votre forme et votre pensée et vous vous dites qu'ils forment un tout, et vous l'acceptez dans l'ensemble sans vous analyser plus longtemps, comme vous pouvez le faire en regardant l'Univers au-dessus de vos têtes, tout comme vous pouvez voir et comprendre qu'il y a plusieurs étoiles, plusieurs planètes, et accepter le fait pour ce qu'il est en vous disant : « Cela existe et cela me convient. J'accepte que cela existe puisque je le vois. » Ou encore vous analysez tous les détails de ce que vous voyez et vous y passez votre vie entière. Les limites ne sont qu'en vous. De notre part, nous préférerions que vous acceptiez l'Ensemble, de comprendre que vous n'êtes pas différents d'une goutte d'eau qui est, à notre avis, la matière la plus résistante qui soit.

Plus résistante que le diamant en fait. Vos formes sont aussi composées d'eau. Vous êtes comme la goutte d'eau : résistants. Si vous le voulez, vous pouvez vous consumer mais le plus important, c'est que vous êtes constitués comme l'eau : en une seule partie. Il ne faut pas ignorer non plus que l'eau a une mémoire, mais c'est encore trop nouveau pour vos technologies actuelles. En fait, toute matière a une mémoire, mais vous n'en êtes pas encore rendus à le découvrir. C'est ce qui vous empêche de vous modifier à volonté; cela se fera un peu plus tard dans votre temps. Vous êtes effectivement comme une goutte d'eau, un ensemble, une unité. Vous voulez voir votre pensée jouer avec le subconscient et le supraconscient ? Vous voulez trouver des divisions en vous ? Quel en est le besoin ? Cela ne servirait qu'à vous prouver qu'il y a des divisions en vous : « Ah ! ce n'est pas ma faute, c'est mon subconscient qui me dit cela, je ne voulais pas te dire ces mots blessants, mais en fait, je voulais te le dire sans le dire, ce n'est pas ma faute, j'ai cela dans mon subconscient. »

Puis, lorsque viendra le temps de percevoir les énergies venant de l'extérieur de vous, d'avoir des intuitions, vous ne direz pas que c'est votre Âme, vous direz que c'est le supraconscient qui a accumulé toutes les connaissances de votre Âme et que vous pouvez y puiser. Pouvons-nous vous suggérer que, si vous cherchez dans votre cerveau, vous analyserez et vous douterez ? Par contre, si vous réfutez... Et nous comprenons qu'en psychologie, il est fort utile de comprendre les dimensions de votre cerveau où se règlent et où se placent les formes de pensées, les agissements. Bientôt, ils vous grefferont des classeurs ! Ceux qui travaillent dans ce domaine peuvent utiliser les mots pour comprendre ces niveaux. Mais chacun de vous ne doit qu'accepter ce qu'est l'ensemble. Vous êtes ce que vous êtes, un point c'est tout : un ensemble. Il ne vous vient pas à l'idée d'analyser votre automobile à toutes les fois que vous conduisez. Vous savez qu'elle démarre, qu'elle avance et qu'elle recule et vous savez habituellement où vous allez. Nous vous suggérons de voir vos formes comme des véhicules qui peuvent avancer et reculer, et à qui vous pouvez aussi demander d'aller où vous le voulez. Si vous vous considérez de cette manière, il vous faudra comprendre aussi qu'il y a un conducteur... Certaines personnes ont des réactions ! Disons qu'il y a un deuxième conducteur qui peut vous aider, vous servir de carte, de boussole, dans certains cas. Ce qui compte, c'est l'ensemble, pas ce qui compose l'ensemble. Lorsque vous aurez réellement compris cela, vous aurez fait un pas énorme et vous aurez même compris l'essentiel. Cessez donc d'analyser, il est grand temps que vous viviez, sinon vous ne serez plus supportables. Nous ne le disons pas à Louise seulement, mais à l'ensemble, pas à chacun d'entre vous, mais à quelques-uns, à ceux qui trouvent que cela leur convient. Si cela ne vous convient pas, c'est peut-être que cela vous convient trop bien ! À vous de discerner. *(Maat, III, 13-01-1991)*

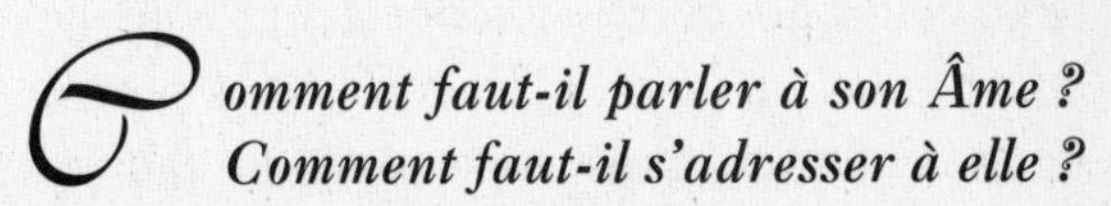

Comment faut-il parler à son Âme ? Comment faut-il s'adresser à elle ?

Faites-vous allusion à la prière ?

Je ne pensais pas nécessairement à la prière.

En fait, lorsque vous vous adresserez à votre Âme, c'est qu'elle se sera déjà adressée à vous; elle aura déjà pris contact. Si vous l'ignorez, vous aurez beau communiquer par images, par sentiments ou par émotions – ce qu'elle ressent très bien –, comment saurez-vous qu'elle vous entend ? Très simple ! Lorsque vous ferez ce que vous entendrez en vous et que cela aura du résultat, vous aurez compris que votre Âme sait et elle recommencera pour que vous soyez bien certains que cela venait d'elle, que vous l'ayez entendue. Comprenez l'importance de l'intuition, d'avoir confiance en vous ! Nous disons bien en vous et cela fera comme une roue. Vous pouvez penser que cela provient du conscient, vous dire que cela vient de votre subconscient : « Je l'écoute et cela réussit ! » En effet, vous pouvez vous en flatter, mais votre Âme se tannera [lassera]. Vous percevrez vos intuitions comme venant de vous et lorsqu'elles viendront de vous, cela ne réussira plus et vous vous direz : « Mon étoile ne brille plus, je n'ai plus de chance. » Lorsque vous entendrez en vous des conseils, foutez-vous de savoir d'où cela vient, faites-les. Lorsqu'il y aura en vous le message de prendre telle et telle nourriture, faites-vous confiance. Votre Âme prendra tous les moyens possibles, elle vous donnera tous les conseils possibles pour se faire comprendre. Vous aimez la nourriture, elle vous en donnera; si vous n'écoutez pas et que vous êtes malades, tant pis pour vous. Elle essaiera autre chose. Lorsque vous commencerez à écouter votre Âme et qu'elle le saura, et lorsque vous saurez que cela provient d'elle et non pas de votre subconscient ou d'ailleurs, l'échange débutera. Vous pourrez demander et vous verrez qu'elle écoute très bien. C'est à son avantage et au vôtre aussi. Vous pourrez vous en servir dans votre travail, pour influencer aussi ce qui devrait arriver dans la vie que vous souhaitez. Tout cela sera possible. Si

vous le faites de façon consciente en vous disant que c'est vous, cela n'ira pas loin. *(Harmonie, I, 17-11-1990)*

Est-ce que je peux demander à mon Âme d'aller chercher des connaissances ailleurs et de me rapporter des informations qui pourraient m'aider ?

Seulement si cela vous aide à avoir un meilleur contact avec votre Âme et un meilleur résultat dans votre vie, et si cela peut l'aider elle aussi. La règle du donnant, donnant doit toujours s'appliquer. Si vous le faites par égoïsme, oubliez cela. Si vous le faites en ayant dans votre idée que vous passez réellement par votre Âme et que vous n'avez aucun doute là-dessus, elle vous répondra. Si vous le faites pour tester votre Âme, comme vous dites, elle ne fera rien; elle attendra que vous fassiez vos essais et qu'ils soient terminés. Sinon vous vous attribueriez ce résultat consciemment et votre Âme n'aurait pas fait un seul pas. *(Harmonie, II, 08-12-1990)*

Avec la guerre actuelle au Moyen-Orient, est-ce que prier pour la paix dans le monde est une perte de temps ?

Est-ce que c'est une blague ? Prenez deux milliards de personnes qui prieront, cela n'arrêtera jamais un missile.

Donc, on perd notre temps.

Vous perdez le vôtre ! Ceux qui n'ont rien d'autre à faire ne le perdent pas parce qu'ils ont confiance en la prière, mais ceux qui savent agissent. Prenez 30 personnes, séparez-les en deux groupes de 15 placés face à face, puis dites à l'un des groupes : « Soyez réceptifs à ce que nous allons vous transmettre. » Même si les 15 autres personnes en face d'elles leur retransmettent l'amour, l'amitié, ou tout ce que vous voudrez, il y a fort à parier qu'elles n'entendront rien. Cela ne date pas d'hier. Regardez ce que font les gens au Moyen-Orient. Ils sont des centaines de millions à prier, pourtant ils sont en guerre. Que s'est-il passé lors de la dernière guerre mondiale ? Les victimes priaient aussi et cela ne les a pas empêchés d'être mutilées, même lorsqu'elles priaient. Vous n'avez pas compris le sens de la prière, voilà notre réponse. Vous priez toujours pour obtenir, vous ne faites pas une demande. Vous priez à l'extérieur de vos formes, vous priez Dieu, mais vous ne passez pas par l'Âme. Oh ! vous êtes entendus dans vos prières. Une question pour vous, vous répondrez à cela : qu'arrive-t-il lorsqu'une personne vous demande toujours la même chose et se répète continuellement, comment réagissez-vous ?

Cela devient ennuyeux.

Et vous n'entendez plus, n'est-ce pas ?

Oui.

L'ensemble des Cellules n'est pas plus idiot. Il se fatigue d'écouter la même chose sans savoir ce que vous voulez réellement.

Lorsque vous priez sans savoir, cela équivaut à vous poser une question indéfiniment. Toutes les prières ont été créées pour vous-mêmes, pour intercéder auprès de vous-mêmes. Mais les prières n'ont pas à être toutes les mêmes. Une simple demande est une prière. Une simple pensée est une prière. Une simple visualisation est une prière. Tout cela est entendu. Essayez donc d'imaginer ce que vous appelez un Je vous salue Marie, en photographie ! Vous voyez ? C'est pour cela que nous n'entendons pas vos prières. Nous utilisons l'image, pas les mots. Par contre, si vous visualisez ce que vous voulez, nous l'entendrons. *(Harmonie, III, 09-01-1991)*

i la prière vient de l'Âme...

Ce n'est pas l'Âme qui prie, c'est la forme qui prie d'être entendue.

Si on veut prier avec son Âme, méditer, est-ce que ça peut faire comme une prière qui part de l'Âme ?

Une seule remarque sur votre question. Vous ne priez pas avec l'Âme, vous priez votre Âme de vous entendre. Il y a nuance. Vous lui demandez. Une prière est une demande, sauf que nous vous demandons de cesser d'utiliser les mots. Visualisez ce que vous voulez et ce sera entendu.

Si une personne n'est pas capable de visualiser.

Foutaise que cela. Si vous êtes capable de visualiser le vide en vous, vous êtes aussi capable de visualiser ce que vous voulez, n'est-ce pas ?

Mais ce n'est pas facile de faire le vide.

C'est pour cela que nous vous disons de ne pas faire le vide, mais de visualiser ce que vous voulez. Pourquoi tentez-vous de faire le vide ? Vous êtes des êtres pleins, vous n'êtes pas des bouteilles vides. Cela ne serait pas utile. Donnez-nous une seule raison de faire le vide ?

Pour calmer le mental.

Vous voulez calmer votre mental ? Trouvez plutôt des solutions à vos problèmes, sinon il s'énervera de ne pas avoir de résultats. Si vous croyez qu'en faisant le vide vous allez oublier, vous faites erreur. Plus vous jouerez ce jeu avec vous-mêmes, plus votre conscient se trouvera renforcé dans sa volonté, comme pour vous faire voir que vous ne pouvez pas vous dissimuler. Donc, si vous voulez réellement méditer, c'est très simple : pensez à vous-mêmes, regardez où vous en êtes et visualisez plutôt le résultat. C'est une méditation, car cela revient à dire que vous pensez à vous. Ce qui compte ce n'est pas le comment, c'est le résultat. *(Harmonie, III, 09-01-1991)*

Vous dites que, lorsque nous faisons une demande, on doit demander à notre Âme et laisser aller ensuite. Il y a d'autres façons reconnues pour travailler à d'autres niveaux, par exemple en répétant des affirmations. Qu'en pensez-vous ?

Pour vous rendre moins conscients ? En faisant cela, vous ouvrez des niveaux du subconscient et cela ouvre la porte à des réalisations, mais vous n'êtes pas des perroquets, pourquoi toujours répéter ? Pour vous rendre moins conscients ? Nous vous disons le contraire. Soyez très conscients, soyez même des êtres hyperconscients. Plus vous serez dans vos demandes, plus elles seront réalistes et plus elles seront entendues. Vous aurez beau les répéter tant que vous voudrez, au point de fatiguer votre conscient, vous ne développerez pas votre foi de cette façon. Il y a des gens qui prient devant des murs constamment, qui répètent eux aussi; cela n'empêche pas les bombes d'arriver. Parmi ceux qui ont prié, des centaines de milliers sont morts tout de même. Il y a des dimensions, il y a des réalités. Si votre agir fait en sorte que quelque chose se produise, il est inutile de répéter une prière pour l'empêcher de se produire; vos agissements sont plus forts que les prières parce que vous ne croyez pas en elles. Nous savons qu'il y a des méthodes. Nous les entendons continuellement, elles existent. Mais nous vous avons dit le contraire : simplifiez. Demandez, mais demandez pour vouloir. Nous vous avons dit de visualiser pour obtenir et vous aurez. Vous n'êtes pas sourds ? Nous non plus, votre Âme non plus, les Entités non plus, vos voisins non plus. Toutes ces dimensions sont reliées les unes aux autres. Utilisez la méthode que vous voudrez, pourvu qu'elle réussisse. Toutefois, nous vous suggérons de choisir la plus courte pour ne pas vous habituer à trop répéter, pour ne pas vous ennuyer et pour ne pas créer, dans votre forme, des délais à vos demandes. *(Harmonie, IV, 16-02-1991)*

Est-ce par la prière que nous pourrons nous rapprocher de notre Âme ?

Une simple parenthèse : ne cherchez pas à vous rapprocher, vous êtes déjà à la même place. Oh ! ce n'est qu'un jeu de mots de notre part, ne vous en faites pas, votre question est très bien. La prière, c'est bien, mais pas lorsqu'elle est faite de manière répétitive. Trente *Je vous salue Marie* ne valent rien. Nous vous saluons une fois et cela suffit.

Comment prier ?

Pour vous-même, pas à l'extérieur. Nous vous avons dit que Dieu est l'Ensemble et que votre Âme en fait partie. Qu'elle vous ait choisi prouve que vous en faites aussi partie à votre dimension. Donc, lorsque vous dites si bien « Mon Dieu ! », vous êtes dans la vérité; tous et chacun ont cela d'ailleurs. Lorsque vous priez, ce qui équivaut à faire une demande, et que vous le faites dans la foi, dans la croyance, votre demande sera exaucée. Toutefois, il est très important de comprendre que les Âmes n'emploient pas les mots pour communiquer. Nous-mêmes, nous ne les comprenons pas.

Nous comprenons vos images cependant. Imaginez ce que vous voulez, imagez surtout et ce sera compris. Répétez-le, ce ne sera pas entendu. Vous portez énormément attention à ce que vous dites, mais pas beaucoup à ce que vous voyez en même temps. Pourtant, c'est le seul lien qu'a votre Âme avec vous. Pour l'établir, elle utilise le rêve d'ailleurs. Donc, si vous priez avec des mots, ajoutez-y l'image et ce sera compris. C'est pourquoi nous avons répondu à ceux qui nous ont demandé comment nous percevoir : vous n'avez qu'à imaginer notre emblème; nous savons que c'est rattaché à nous et nous comprendrons. C'est comme cela que nous fonctionnons. C'est aussi pour cela qu'il y a des délais entre ce que nous envoyons au cerveau de Robert et ce qu'il peut déduire. Il nous faut parfois reprendre aussi. Avons-nous répondu à tout cela ?

Alors, se sentir proche de Dieu, c'est en réalité être près de son Âme ?

C'est aussi considéré comme faisant partie d'être, pas plus que cela : être. Très bonne question. *(Symphonie, I, 06-04-1991)*

Tous les groupes qui méditent à travers le monde pour la paix dans le monde, est-ce que cela a eu une incidence pour l'arrêt de la guerre ?

Aucunement ! Dans les faits, les bombes sont tombées quand même. S'ils avaient agi, cela aurait fait autre chose. Prenez un million de personnes qui prient en même temps et qui prient tous à répétition. Nous vous avons dit ce que cela faisait : personne ne les écoute. Par contre, s'ils agissent, s'ils se placent eux-mêmes devant ces bombes, cela fera bouger vos politiques. Prier et méditer pour vous-mêmes, pour mieux vous comprendre, pour mieux comprendre comment agir plus tard, est très bien. Plutôt que de vous réunir dans le but de changer le monde par la prière, nous vous suggérons d'apprendre à jouer aux échecs ou à danser, ce sera au moins efficace. Nous vous l'avons dit, visualisez si vous le voulez, mais demandez des choses réelles, réalisables et réalistes. Comment voulez-vous changer une période qui doit avoir lieu ? Elle aura lieu de toute façon. Pouvez-vous empêcher vos hivers par la prière ? Fera-t-il plus chaud au mois de février si vous priez tous ? Nous aimerions bien voir cela, prévenez-nous... Aucunement ! Vous ne changerez pas le cours de vos températures en priant, mais vous pourriez avoir plus chaud si vous agissiez pour être heureux. Passez à l'action, n'entretenez pas seulement des pensées. Les seuls qui utilisent les forces de pensée, vous les appelez des politiciens et vous les remplacez rapidement. Ceux qui agissent restent. *(Symphonie, I, 06-04-1991)*

u sujet de la communication avec l'Âme et le subconscient, cela

voudrait donc dire que, si j'ai bien des demandes et que je n'obtiens pas de réponse pour plusieurs d'entres elles, c'est parce que le subconscient les a rejetées tout simplement ?

Parce que le conscient est trop fort. Soit qu'il retourne les demandes sans les envoyer à votre Âme, en vous faisant croire qu'elles ont été transmises, soit qu'en vous-même, au plus profond de vous-même, vous croyez avoir les solutions et pouvoir résoudre vous-même ces problèmes ou obtenir vous-même ces demandes. D'un côté, vous demandez et de l'autre, vous ne voulez pas recevoir la réponse. Donc, le subconscient ne retransmettra pas vos demandes, sachant très bien qu'en surface, ce sera rejeté. Vous comprenez cela ? Tout dépendra de la subtilité que vous aurez face à vous-même. Si vous êtes parfaitement ouverts, que vous croyez et que vous avez besoin de ce que vous demanderez à l'Âme, cela vous sera rendu. Mais n'oubliez pas de visualiser, n'utilisez pas de mots. Si vous demandez juste au cas où votre Âme voudrait vous donner, vous allez être surpris, vous n'aurez rien. Encore une fois, rappelez-vous ce qu'il a été dit il y a plus de 2000 ans, que la foi déplace les montagnes. Il n'était pas question des montagnes physiques ! Pour plusieurs d'entre vous, une simple pensée est énorme, lourde, même au niveau des conséquences, et elle équivaut à une montagne. Donc, si vous avez beaucoup de foi, ce qui suppose que vous ne passiez pas votre temps à tout analyser, si vous croyez, vous aurez. Cela implique la croyance. La croyance est très importante, pas la remise en question, pas le doute. Vous croyez ou vous ne croyez pas. La croyance ne se mesure pas. Lorsque vous en serez au point de demander et de savoir que vous allez avoir, donc de remercier avant d'obtenir tellement vous êtes sûr d'obtenir, la question ne se posera même pas, vous aurez. C'est cela la foi : remercier avant d'obtenir, remercier avant même de poser la question. Très bonne question ! *(Les Âmes en folie, I, 24-04-1991)*

Lorsqu'on a l'impression que l'Âme ne progresse pas assez rapidement, qu'on demande à l'Âme ce qu'elle voudrait et qu'on n'obtient pas de réponse, disons la nuit dans les rêves, est-ce à dire que l'Âme est comblée ou qu'on ne perçoit pas ce qu'elle veut ?

Elle ne vous a peut-être pas entendu non plus. Vous savez, vous associez toujours le temps au progrès. C'est une fausse dimension. Certaines Âmes peuvent avoir fixé l'atteinte de leur but (de s'exprimer dans une forme) sur 80 de vos années. Si cela s'est produit avant, cessez de lui demander ce qu'elle voulait, elle le sait déjà, elle l'a déjà eu. Donc, maintenant que vous lui avez donné ce qu'elle veut, si vous êtes bien avec vous-mêmes, vous pouvez lui demander autre chose, non pas ce qu'elle veut mais ce que vous voulez. Une forme d'échange, donnant, donnant. Mais il faut être réalistes aussi dans vos demandes et lui laisser du temps pour ce qui est irréaliste. Pendant le temps où vous serez impatient d'obtenir ce que vous avez demandé, profitez-en pour regarder ce qu'il y a autour de vous. Vous verrez des choses que vous n'arriviez pas à voir autrefois. Peut-être qu'elle ne vous répond pas justement pour cela, pour vous laisser une chance consciemment de voir ce qui vous entoure. Les raisons sont parfois diverses. Ne dites-vous pas « courtiser l'Âme » ? Cela a toujours été exact comme terme. Que faites-vous entre vous, même entre conjoints encore une fois, lorsque vous blessez votre conjoint et que vous vous rendez compte que vous n'auriez pas dû agir ainsi. Vous vous adoucissez, vous trouvez des moyens de vous exprimer qui sont plus doux, plus ratoureux, plus langoureux. Vous faites ce que vous ne faites pas consciemment habituellement, question de vous faire pardonner. Vos Âmes ont essayé pendant tellement longtemps d'établir un contact que plusieurs se sont fatiguées, mais elles refont l'expérience tout de même. Donc, c'est à vous de faire les efforts nécessaires jusqu'à ce que vous les ressentiez bien. Après, il n'y pas réellement de limite, sauf celle de votre imagination. En ce sens, courtiser l'Âme est réel, et c'est ce que vous faites tous actuellement. Une session comme celle-ci va au-delà de la compréhension consciente. Ne vous en faites pas, vos Âmes sont beaucoup plus préoccupées actuellement à percevoir nos formes d'énergies qu'aux mots que le cerveau entendra. Donc, effectivement, vous courtisez ce soir alors que d'autres vont danser. *(Les Âmes en folie, III, 22-06-1991)*

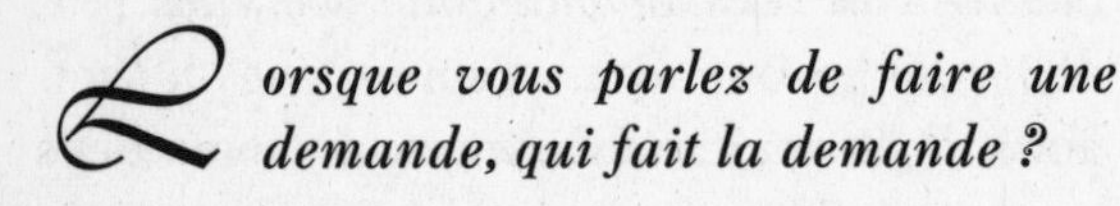

Lorsque vous parlez de faire une demande, qui fait la demande ?

Votre conscient. Plus il sera conscient de la demande, mieux ce sera, moins il doutera. *(Les Âmes en folie, III, 22-06-1991)*

Souvent, on dit que le conscient n'a pas toujours de bonnes intuitions. Si on fait la demande et que l'Âme nous donne ce qu'on veut, cela veut-il dire que ce que le conscient demande c'est bon ?

C'est pour cela que nous vous avons dit de remercier avant d'obtenir. Lorsque vous aurez reçu ce que vous aviez demandé, dites-vous que cela vient d'elle, même si vous n'en êtes pas convaincus. Cela l'encouragera; au moins, elle saura que vous aurez pensé à elle. *(Les Âmes en folie, III, 22-06-1991)*

Comment visualiser quelque chose d'abstrait ? Admettons que j'ai quelque chose de spécial à faire un soir et que je veux réussir tout simplement ?

Vous repassez cet événement à vivre dans votre tête. Une ou deux fois seulement mais dans le sens que vous voulez le vivre. Cela fera en sorte que votre forme s'y sera préparée et, pour elle, ce sera comme de revivre cet événement une deuxième ou une troisième fois. Mais ne faites pas seulement penser que cela réussira ! Votre cerveau se demanderait comment cela pourrait réussir et, lorsque vous y seriez, vous pourriez faire des erreurs parce que vous analyseriez au fur et à mesure. Au contraire, si vous imaginez les gens qui y seront, que vous vous voyez avec eux et que vous dites : « Très bien, j'agirai comme cela et comme cela », l'événement se passera exactement comme vous l'aurez imaginé. Par contre – juste pour bien vous faire comprendre l'imagerie –, si vous écriviez cela et que vous ne faisiez que le lire, sans le visualiser, rien ne se produirait. Votre cerveau n'aurait même pas compris. Ne dites-vous pas que l'imagination est créative ? *(Les Âmes en folie, III, 22-06-1991)*

Quand on fait une demande et qu'on se dit que c'est bon pour notre Âme, même si l'Âme n'a pas de notion de temps, si on sait que c'est bon, est-ce que cela devrait se faire ?

Comment fait-on pour reconnaître ?

Oui.

Mais si vous demandez à l'Âme avec confiance, vous allez obtenir. Le temps que cela prendra sera le temps que vous aurez la patience d'attendre. Plus cela se fera facilement, plus vous saurez reconnaître ce qui prend plus de temps. Effectivement, ce que vous demandez se réalise de toute façon, que cela prenne 10 ou 20 de vos années. Cela dépendra de ce que vous aurez demandé, cela dépendra aussi de ce que vous vivrez vous-mêmes et voudrez vivre pour vous. Soyez donc à l'écoute de vos demandes. Sont-elles réalisables ou irréalisables ? Votre demande peut-elle être vécue sans nuire à d'autres ou devra-t-elle nuire à d'autres pour se réaliser ? Soyez réalistes dans vos demandes ! Votre Âme en tiendra compte. C'est plutôt rare que ce soit bon pour vous seulement. En règle générale, toute décision entraîne des conséquences pour les autres aussi. *(Les Âmes en folie, III, 22-06-1991)*

Quand je veux obtenir des choses, je me le dis dans ma tête, mais je n'arrive pas à les mettre en images pour parler à mon Âme. Comment visualiser ce qu'on pense ?

Cela se rapproche beaucoup de la prière, en fait. Que vous vous adressiez à votre Âme ou à l'Ensemble, que vous appelez Dieu, votre demande ne sera jamais entendue si vous l'exprimez avec des mots. Pour être entendus, vous pouvez exprimer vos demandes de deux façons. Une première façon consiste à utiliser des images, un peu comme ce que vous appelez des films ou des photos, bien que nous préférons les films car ils ont une suite tandis que les photos s'arrêtent sur un point fixe à la fois. L'autre façon est celle du vécu, de la foi qui fait en sorte que vous n'avez même pas à vous poser de questions, parce que cela devient du vécu intérieur. Vous le ressentez en vous et vos réponses sont aussi ressenties. Voici un exemple, juste pour ceux qui trouvent difficile de ressentir ce qu'ils vivent. Lorsque vous faites quelque chose de bien, vous le ressentez, cela vous rend heureux, et vous savez tous où cela se situe en vous. C'est la même chose lorsque vous faites quelque chose qui n'est pas bien. Vous le savez que ce n'est pas bien; vous le vivez mal et vous vous en faites. Lorsque vous arriverez à demander ce que vous voulez en le ressentant, ce sera perçu immédiatement et vous aurez vos réponses aussi vite. C'est beaucoup plus rapide que les images parce que, de notre côté comme du côté de votre Âme, il faut que nous puissions savoir s'il ne s'agit que d'imagination de votre part et si vous allez accepter les résultats comme provenant de votre Âme ou de nous. Votre Âme doit s'en assurer avant de donner. Donc, si vous n'arrivez pas à mettre des images sur ce que vous voulez, c'est que vous n'avez pas cette faculté actuellement. Il vous faut donc développer vos émotions intérieures, y associer ce que vous voulez comme résultat; ce sera aussi une forme de programmation de vos formes, et les résultats seront rapides. Avez-vous bien compris cela ?

Vaguement.

Dans ce cas, reformulez une autre question.

Je veux vivre des choses que je perçois comme étant bien, mais il n'y a rien qui se passe. Il me manque un bout pour faire en sorte que les choses s'accomplissent.

Vous savez, il ne faut pas seulement s'écouter dans cela, il faut aussi prendre les moyens. Nous allons donner des exemples concrets; ils ne toucheront pas nécessairement toutes les personnes ici présentes, seulement celles à qui ils conviendront. Prenez une personne qui veut se séparer de son conjoint. Imaginez qu'elle rêve à cela, qu'elle le veut, qu'elle sait très bien dans quel état elle sera lorsque ce sera fait et y rêve même, bref qu'elle le souhaite de tout son être mais ne fait rien. Elle aura des agissements déplaisants qui forceront les événements, mais elle attendra. Vous aurez beau associer à votre demande toutes les émotions et tous les sentiments possibles, et même toutes les images que vous voudrez, aussi claires soient-elles, si vous n'arrivez pas à prendre votre décision, qui la prendra ? Redonner à l'Âme le choix d'une décision est se camoufler sa réalité. Lorsque vous savez ce que vous voulez, il faut avoir aussi le courage d'agir, de faire les premiers pas vous-mêmes, d'en avoir tout le bénéfice. Il est bien de demander et de souhaiter mais, lorsque vous en serez rendus au point où vous le vivrez comme si c'était fait, il ne vous restera qu'à le faire et à vous fier à la vie, dont votre Âme fait partie; votre Âme se chargera de tirer les ficelles nécessaires. S'il vous vient à l'idée de demander, mais que par contre vous n'arrivez plus à imaginer ce que ce sera, c'est que vous avez devancé les étapes et que vous n'avez pas tout compris. Donc, cela signifie qu'il faut retarder votre demande. En règle générale, lorsqu'il y a eu changement dans vos vies, c'est parce que vous avez agi, parce que vous avez bougé, parce que vous avez cessé de souhaiter pour vous mettre à prendre. *(Renaissance, I, 14-09-1991)*

C'est une question qui me fatigue depuis le début et je vais essayer de la poser le plus simplement possible.

Voyez comme nous avions raison ! Si nous avions abordé un sujet, votre question vous aurait fatigué jusqu'à quand ?

Supposons qu'on visualise l'Âme soeur, qu'on a demandé quelqu'un de libre et non pas quelqu'un de marié...

Combien de fois ?

Je ne sais pas combien de fois. Pourquoi arrive-t-il que ce soit des gens mariés que l'on rencontre ? Qu'est-ce qu'on fait avec cela ?

Bien souvent, ces gens mariés font la même chose. Ce n'est pas parce qu'ils ont été mariés ou qu'ils le sont encore qu'ils ne veulent plus vivre. Qui vous dit qu'ils ne veulent pas justement un changement ?

Ils n'en sont peut-être pas tout à fait conscients. Je n'en sais rien.

Si vous faites une telle demande, vous ne pouvez pas choisir la personne comme on choisit de la marchandise. D'un autre côté, selon ce que vous aurez demandé, selon les possibilités, ces gens s'approcheront de vous et vous les percevrez de façon différente, selon ce que vous aurez réellement demandé. Dans ce domaine, vous ne pouvez pas passer votre commande. Vous pouvez espérer, souhaiter, visualiser. Si vous êtes très honnête, vous savez que vous avez visualisé beaucoup. Votre question est très curieuse du moins. Si vous vous faites confiance, lorsqu'une personne sera pour vous, vous le saurez. Dites-vous bien une chose : cette personne peut être mariée, c'est un fait, mais qui vous dit qu'elle n'a pas fait une demande aussi. Les gens mariés qui cherchent ont les mêmes droits que vous, le droit de continuer de vivre, d'être aimés. Vous avez tellement présents à l'esprit les bouts de papier signés. Cela ne veut rien dire. Vous êtes pratiquement le seul monde où les gens signent des contrats entre eux. Mais vous pouvez formuler cette question autrement.

Ça va, merci. *(Renaissance, IV, 07-12-1991)*

Lorsque j'ai des questions à poser à mon Âme, que je veux lui dire « merci de ton aide », qu'elle m'aide à faire quelque chose, comment faire pour imager ces choses-là ?

Pour ceux qui ne le savent pas, il faut bien comprendre une chose : vos Âmes n'entendent pas les mots mais comprennent uniquement les images. Il y a une autre chose aussi que vous devez savoir : comme elles sont dans vos formes et que vos énergies se modifient, elles perçoivent les émotions, les sentiments, les changements de vibration en vous. Cela se traduit par une satisfaction et elle le perçoit bien. Lorsque vous dites merci à votre Âme, votre satisfaction se répercute dans votre forme et se perçoit; c'est bien dirigé. C'est la seule distinction que nous pouvons apporter : image ou émotion, elles perçoivent très bien les deux. *(Le fil d'Ariane, I, 28-09-1991)*

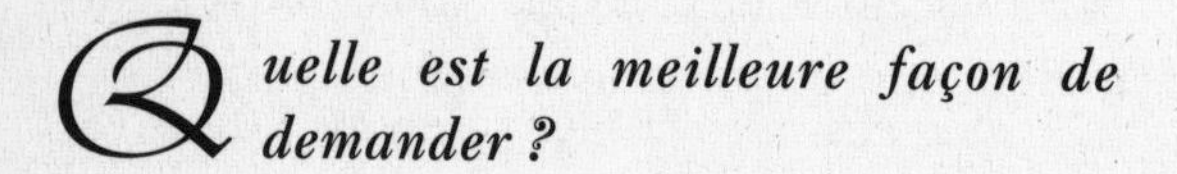

Quelle est la meilleure façon de demander ?

Une question pour vous : quelle a été votre façon de demander dans le passé ?

Vague.

Imprécise, sans savoir quoi attendre. Comment pouvez-vous obtenir en étant vague ? En n'étant pas convaincue que vous obtiendrez. C'est la seule façon. Et à force de demander de cette manière et de ne pas obtenir, vous en arrivez à être vague, à ne pas savoir si vous avez été entendue, à ne pas être sûre de recevoir, donc à ne rien recevoir. Comment vous a-t-on appris à demander ? Par la prière. Quelle belle foutaise ! Qu'avez-vous fait ? Vous avez répété continuellement des mots qui ne veulent rien dire pour nous. Que cela vous rassure : nous n'entendons pas vos mots. Que vous répétiez une prière dix millions de fois, pour nous cela équivaut à ne rien dire. Nous voyons des images par contre, ce qui peut être retransmis. Nous pouvons percevoir à la limite des émotions vécues très profondément par vos formes. Si vous demandez clairement en voyant très bien ce que vous voulez, nous comprendrons, et non seulement nous mais l'Âme aussi... et vous obtiendrez. Surtout, lorsque cette image sera très claire en vous, laissez-la aller, cessez d'insister et passez à autre chose, sinon l'Âme croira que vous jouez un jeu, que vous n'êtes pas certaine. Donc, elle a tout intérêt à pouvoir agir librement et cela vous apportera la foi en vous-mêmes, pas le doute. Si, toutes les fois que vous recevez, il vous faut faire une autre demande pour croire, elle se lassera et attendra une demande importante. Pour elle, ce n'est pas un jeu; elle veut être certaine que vous l'utiliserez. Donc, pas besoin de répéter des prières constamment, pas besoin non plus de visualiser pendant des mois ce que vous voulez, car cela ne restera qu'un rêve. Demandez une fois, clairement, et mettez-y les émotions nécessaires. Une question pour vous : lorsque vous aviez deux à trois ans et que vous demandiez quelque chose à votre mère, que faisiez-vous ?

J'étais sûre de l'obtenir.

Vous insistiez ? Votre comportement changeait quand vous vouliez vraiment quelque chose ?

Je le voyais, je le vivais.

Alors comment ferez-vous maintenant pour demander ? Vous avez compris ? Vous apprendrez, ne vous en faites pas. *(Nouvelle ère, I, 29-02-1992)*

Est-il possible de faire une demande à l'Âme et de ne pas la recevoir parce que l'Être suprême, ou appelez cela comme vous voudrez, décide que ce n'est pas la bonne chose qui devait nous arriver ?

Qui est l'Être suprême ?

L'énergie suprême.

Si c'était vous-même ! C'est cela qui se passe. Vous émettez une demande. Sur le coup, vous y croyez, mais vous émettez ensuite une restriction. C'est donc que vous vous fiez sur l'extérieur pour l'obtenir. Dans la vie, si vous n'arrivez pas à passer par votre Âme en premier pour obtenir, à lui redonner ce qui lui revient, à quoi cela servirait-il ? À simplement demander et posséder ? Vous seriez comme un enfant gâté; vous demanderiez pour attendre une réponse en retour. C'est en vous qu'il faut développer une foi. Pas une foi dans ce que vous demandez mais une foi de ce que vous demandez. En d'autres termes, lorsque vous faites une demande, ce n'est pas en une tierce personne que vous devez croire, pas en Dieu, mais en vous-même. Vous devez avoir la foi dans l'interaction qui se produira. Demandez en croyant que vous recevrez. En d'autres termes, demandez et croyez avoir déjà reçu et vous recevrez. Mais cessez de demander une fois que vous avez demandé ! Dans votre cas, vous redemandez plusieurs fois. Lorsqu'un enfant – vous avez vécu cela dans le passé – demande constamment la même chose, que faites-vous ?

Je lui dis d'arrêter de le demander.

Et vous voudriez que votre Âme fasse le contraire ? Si vous avez la foi, vous demandez une fois. Vous vivez en vous ce que vous avez demandé pour être bien sûre d'avoir toutes les données nécessaires et vous vous voyez dans la situation finale comme ayant reçu. C'est comme cela que vous obtiendrez. C'est en agissant ainsi que votre forme prendra l'attitude nécessaire pour obtenir.

C'est humain d'avoir des rechutes, de douter.

Vous croyez cela ? Qui a formulé cette norme ? Nous ne l'avons pas ! Qui a dit que c'était humain de souffrir ? Qui a dit que c'était humain de mourir ? Qui a dit que c'était humain de vieillir ? Des rechutes... vous avez vu le chemin de croix trop souvent. Cela vous est montré très jeune : si tu manques une fois, essaie de nouveau, recommence. Il y a des gens qui ont les genoux plus solides que d'autres; certains ont la tête plus dure que d'autres. Il faut comprendre que la rechute est un phénomène humain, mais ce n'est pas une donnée humaine. Autrement dit, certaines personnes acceptent des rechutes ; d'autres prennent les moyens pour que ne plus rechuter et corrigent ce qui doit l'être pour ne plus retomber à l'avenir. Une question pour vous : que se passe-t-il dans votre forme lorsque vous vivez une rechute ?

Je pleure. Je crie.

Et cela vous démoralise ?

Non.

Votre forme, bien sûr. Pas le conscient mais la forme, oui. Continuez.

On dirait qu'une fois que la crise est passée, c'est bien.

Que faites-vous lorsqu'un enfant fait une crise pour rien ?

Je le prends dans mes bras et je lui dis que je l'aime.

Si cet enfant continue de pleurer ? Que faites vous avec ces enfants qui pleurent sans raison, juste pour obtenir quelque chose de vous ?

Je lui dis qu'il est trop gâté.

Vous comprenez ce que vous vivez ?

Ce n'est pas de la gâterie, c'est de l'insécurité, ce n'est pas pareil.

Comme vous arrangez les événements à votre façon ! L'enfant qui a beaucoup, qui reçoit beaucoup, l'enfant gâté, que vit-il selon vous lorsqu'il cesse d'être gâté ou lorsqu'il a peur de ne plus être gâté ?

De l'insécurité.

Qu'avez-vous vécu, nous disiez-vous ?

De l'insécurité.

Il faut comprendre que ce qu'une forme peut avoir dans une vie, ce qu'elle peut vivre devient parfois de l'habitude et que cela l'empêche de voir ce qui est beau. Bien souvent, il est inutile de donner davantage à quelqu'un parce qu'il ne le voit plus et que cela le mène à être encore plus gâté; donc cela n'apporte rien de plus dans sa vie. Il faut que vous compreniez cela aussi. Il est important de comprendre que, dans la règle du donnant, donnant, il ne s'agit pas simplement d'obtenir des biens matériels ou de vivre dans l'aisance, et de seulement remercier l'Âme. Il vous faut sentir que, dans votre vie, vous lui redonnez ce qu'elle veut aussi. Vous vivez déjà dans la facilité; c'est parce que les écarts sont chiffrés que vous voyez la différence entre votre situation et celle des autres, et c'est la crainte qui vous fait vivre l'insécurité. Vient un temps où un enfant qui reçoit ne sait plus dire merci. Vient un temps où il faut dire merci avant de recevoir pour pouvoir recevoir. Songez bien à cette phrase. *(L'envol, III, 09-05-1992)*

Est-ce qu'il faut être dans un état spécial lorsqu'on fait une demande

ou le contact se fait-il automatiquement par le simple fait de demander quelque chose ?

Vous avez oublié de dire qu'il faut y croire. Tout le monde sait qu'il y a une Âme dans la forme. Demander, c'est une chose, mais il faut apprendre à demander. Nous en avons parlé beaucoup déjà dans cette session. Vous pourriez demander à la journée longue, 24 heures par jour, sans arrêt et ne rien obtenir. Si vous demandez seulement au cas où vous pourriez recevoir, vous n'obtiendrez rien. Si vous demandez en sachant que vous avez déjà, vous l'aurez. Demandez à l'Âme. Prenez pour acquis que l'Âme est l'essence d'une forme. Si vous demandez et que vous ressentez cela en vous, vous recevrez. Mais si vous vous demandez si vous recevrez, si vous demandez en vous demandant si vous recevrez, il vous faudra apprendre à mieux demander. Nous l'avons très souvent mentionné dans le passé. Apprenez à dire merci avant de recevoir. Vous verrez, cela aide à croire. *(L'envol, III, 09-05-1992)*

Est-ce qu'on peut traiter notre Âme comme une amie ? Est-il possible qu'il y ait dialogue entre notre forme et notre Âme ?

Bien sûr. Votre Âme ne comprendra pas les mots, mais elle comprendra les images. Pour nous, c'est la même chose. Vous voulez communiquer avec nous ? Faites-le avec des images, pas avec des mots. C'est la même chose avec votre Âme. Que vous lui trouviez un nom, c'est votre choix. Mais vous pouvez effectivement penser à elle comme étant votre meilleure amie, car c'est un fait; cela aidera votre cerveau à faire la différence. Une amie, c'est mieux qu'une chose. *(Diapason, I, 21-03-1992)*

Plus vous serez aptes à demander, plus vous apprendrez à vous ouvrir, plus vous en profiterez. Si vous ressentez trop d'amour, c'est que vous avez bien ressenti cela. À bientôt vous tous.

Oasis

La méditation

À vous d'aller plus loin, d'aller plus loin en vous, pas en nous. Nous ne vous obligerons pas de nous croire mais de vous croire. N'apprenez pas tout cela par coeur, de grâce ! Prenez seulement ce qui vous convient, n'accumulez pas le reste. Cessez de faire le vide aussi. Lorsque vous méditez, ne le faites pas en vous prenant pour des bouteilles vides. Vous êtes tous des êtres de matière : tenter de faire le vide serait tenter de vous oublier dans votre réalité. Oublier la forme et ses problèmes physiques est une chose, mais cela ne vous empêchera pas de voir votre réalité. Le rêve éveillé est une forme de méditation très profonde ; les arts en sont une démonstration. Il y a des siècles que vous accordez des valeurs très exagérées au mot « spirituel ». Tout ce qui est art, tout ce qui est démonstration de vos formes, est de la spiritualité. Si vous aimez ce que vous faites, vous faites aussi de la spiritualité, beaucoup plus que la personne qui prie 12 heures par jour. Dans un certain sens, de bien se nourrir est aussi spirituel parce que vous avez du respect pour vous. Tout cela est spiritualité. Comme vous cherchez ce qui est simple ! *(Maat, II, 01-12-1990)*

Est-ce que la méditation transcendantale telle qu'enseignée est meilleure que les autres méditations ?

Les méditations auront toujours le même but, celui de vous rendre encore plus individuels. Elles ne servent pas dans un groupe. Toute forme de méditation, qu'elle soit transcendantale ou d'ordre personnel, qu'elle soit créative ou non, aura toujours ce but et non pas celui de rendre un groupe plus conscient de sa réalité et de ce qui l'entoure. Nous avons déjà dit que le simple fait de rêver était une forme de méditation, que le simple fait d'observer la nature et de la trouver très belle était une forme de méditation. Nous avons dit aussi que vous n'êtes pas des êtres vides, des bouteilles.

Vous êtes créés de matière, ne cherchez pas à faire le vide en vous mais le lien, très subtil. Ce n'est pas ce qui se passe à des milliers de kilomètres de vous que vous pourriez percevoir. Surtout dans votre cas, ce n'est pas cela qui comptera le plus, mais plutôt ce que vous aurez pu percevoir de votre réalité, du contact que le conscient aura pu établir avec l'Âme. Passé cela, il n'y a plus de limite. Donc, tous les types de méditation sont valables. Si un type de méditation vous convient plus qu'un autre, nous n'y avons pas d'objection tant que cela ne devient pas une habitude, tant que vous ne méditez pas pour méditer ou parce que d'autres le font. Comme les religions, elles relient mais elles s'arrêtent à un certain niveau. Ensuite, il faut un changement, une progression individuelle, comme vous cherchez à le faire ce soir. *(Les chercheurs de vérité, III, 17-03-1990)*

Plusieurs d'entre nous ont commencé leurs lectures ésotériques avec les livres de Lobsang Rampa. Son explication

sur l'échange de forme qu'il a fait à l'âge adulte, en Angleterre, est-elle véridique ?

Personnage très intéressant. Ce qui s'est produit n'est pas rapporté de manière exacte. Il y a eu un échange mais pas un échange de forme. Rampa avait pratiqué plusieurs formes de méditation mais aussi de transe, de création imaginaire. Cela s'est passé lorsqu'il était dans son pays d'origine, aussi à l'aide de plusieurs drogues stimulant l'imagination. Pour être plus au courant du mode de vie en Angleterre... C'est difficile à exprimer car nous observons en ce moment la forme de pensée qu'il a adoptée... Lorsqu'il a voulu changer d'identité (c'est un peu moins romancé que ce qui a été écrit), il a agi selon d'anciennes écritures tibétaines. Il a romancé leurs propres écritures de façon à créer des histoires, c'est très bien. Il a servi la cause de plusieurs personnes qui cherchaient un début de croyance. C'est arrivé à point. Le personnage est véridique et avait un vécu très imposant. Ses voyages hors de la forme sont exacts et bien rapportés même

si ce fut romancé à plusieurs reprises. Très bien écrit. Ce fut dans un temps où cela devait être. Ce fut l'éveil de la conscience chez certains d'entre vous et cela a fait son travail. Cela s'est produit dans un temps où vos religions étaient remises en question et cela a comblé une bonne part de vos recherches.

Voudriez-vous préciser davantage au sujet de l'échange de forme ?

Cet échange s'est fait de façon consciente et non pas physique pour physique. Pour mieux expliquer, combien d'entre vous ont pu observer des dédoublements de personnalité ? Cela existe et demande seulement de la conviction. Rampa est revenu à ses sources et a pris contact par transe consciente avec son monde, avec ceux qui avaient des connaissances de son monde et il a employé ces connaissances pour transmettre des idées très anciennes et bien romancées. Le seul transfert qui ait eu lieu était celui des pensées, mais il y croyait.

Rappelez-vous, la croyance ou la foi et la simplicité ; cela réussira à tout coup. La plus grande force de ce personnage a été sa croyance en lui-même et non envers les autres ; ce fut son succès. Peu importe le nom que vous lui donnerez, il croira tout de même. Vous tous, vous pourriez vivre des expériences similaires car il n'y a rien d'extraordinaire à cela. Les expériences qu'il a vécues n'étaient pas uniquement de lui. Il rapportait des faits qu'il croyait être les siens et qui lui étaient très bien dictés. Il n'y a rien de mal si cela a été bien rapporté et aide quelqu'un d'autre. Ce n'est pas l'outil qui comptera mais ce que vous en ferez. *(Les chercheurs de vérité, III, 17-03-1990)*

Comment méditer ?

Il n'y a pas deux personnes qui utiliseront les méditations de la même façon. Le problème, c'est que vous analysez constamment vos doutes. Actuellement, ce qu'il vous faut, c'est le lâcher prise, l'ouverture, le calme, un milieu plus propice et non pas le stress causé par les problèmes personnels et l'analyse. *(Les pèlerins, I, 27-01-1990)*

Chanter et écouter des mantras, est-ce bon ou bien est-ce dangereux ?

Cela passera votre temps. Chantez tous les mantras que vous voudrez, si cela peut vous donner une certaine résonance, tant mieux. Mais nous aimerions mieux vous voir chanter des airs plus à la page, plus récents. Cela vous convaincrait que vous êtes toujours vivante, cela vous convaincrait aussi de l'existence de la diversité. Ne tentez pas de faire vibrer vos formes avec les mantras. Ce que vous faites alors, c'est de faire vibrer les points d'énergie, que vous appelez chakras, et cela ne vous donne que la conscience de leur localisation. Dans certains cas, cela pourrait entraîner certains déblocages, encore que cela devrait être fait sous surveillance, avec grande habileté. Dans votre cas et celui de plusieurs personnes ici, le simple fait de trouver une chanson qui vous plaise, pas nécessairement une chanson d'il y a 3000 ans mais une chanson de l'époque actuelle, vous fera vibrer de la même façon qu'un mantra, si vous l'avez choisie avec intuition. Vous y trouverez les vibrations correspondant à l'état actuel de votre forme. Pourquoi, croyez-vous, y a-t-il certaines journées où vous aimez tel type de musique et d'autres journées, d'autres types de musique ? C'est parce que vos formes ont besoin de telle ou telle vibration pour se retrouver, pour se restimuler. Si vous chantez en plus, cela vous apporte encore plus de conviction. Votre question fait aussi référence à la méditation. À ce sujet, vous relirez le début de cette session lorsque nous avons expliqué que vous n'êtes pas des bouteilles, bien au contraire, mais un ensemble. Vous aurez à comprendre encore davantage un peu plus tard au cours des sessions. Nous aurons des exemples plus concrets pour vous. Est-ce que c'est bien compris ?

dans le sens qu'il faut, vers vous-mêmes, plus vous vous convaincrez de ce qu'il vous faut et plus vous serez en état d'entendre la réponse. Les mantras sont la même chose que la prière. Si votre foi est plus grande dans la prière, tant mieux ! Mais priez en vous, pas à l'extérieur. Reformulez, s'il vous-plaît.

Est-ce que cela s'applique aussi aux sons, aux couleurs ?

À la musique aussi ! Où est votre intérêt, votre foi ? Qu'est-ce qui vous donne le plus ? Est-ce un son, une prière, une musique ? Ce qui vous met en état de recevoir, voilà ce qui compte, peu importe ce que ce sera. Si, pour vous, c'est d'être dans une église, si cela vous apporte le calme et vous fait voir ce qu'il faut faire pour agir, tant mieux ! Si c'est d'écouter une musique, tant mieux ! Si c'est un son, tant mieux ! Au moins, vous agirez. Si vous vous contentez seulement de demander et d'attendre, vous risquez d'attendre fort longtemps, à moins qu'il n'y ait des raisons pour cela. C'est ce que nous appelons le donnant, donnant. Vous faites des efforts dirigés ? Nous tirerons les ficelles nécessaires. Vous faites le contraire, et nous le ferons aussi. Nous n'avons jamais compté les efforts dans ce sens. Si en apprenant à demander vous apprenez à reconnaître ce que vous recevez, nous donnons sans hésiter. Mais si vous demandez seulement pour demander, nous ne donnons pas. Il faut qu'il y ait des efforts de votre côté, il faut que cela vous rapporte ; indirectement, cela nous rapportera. Il vous serait même difficile de nous croire si nous vous racontions les faits de ces trois derniers mois, tant nous avons tiré des ficelles dans des cours de justice, au point que même les avocats n'y comprenaient plus rien. Nous avons fait tant de choses, mais ces faits étaient reconnus. Nous l'avons aussi fait en ce qui concerne la maladie, dans plus de trois formes. Il n'y a pas de limites, mais notre règle a toujours été le donnant, donnant. Parfois, c'étaient des réponses que nous donnions, des réponses très claires. Et lorsque les gens ne les entendaient pas, nous les faisions donner par d'autres, de façon inattendue. N'a-t-il pas été dit : demandez et vous recevrez ? Demandez donc pour recevoir, ainsi vous aurez ! *(Luminance, II, 08-05-1993)*

Le cheminement de l'Âme est tout un défi. Si je suis ici, c'est grâce à mon épouse. Jusqu'à présent, nous n'avons pas trouvé quel cheminement faire. Nous ne nous attendons pas à trouver la réponse, mais nous sommes très curieux et nous savons qu'il y a composition d'énergies dans ce monde matérialiste. Vous avez dit que c'est dans la simplicité que je trouverai la réponse...

N'a-t-il pas été écrit que seuls les enfants verraient Dieu ? Vous êtes bien placé pour répondre à cela. Une simple parenthèse avant que vous continuiez. Est-ce aussi pour cela, lorsqu'il y a méditation, que vous cherchez tant à faire le vide ? Cela nous amuse toutes les fois que nous constatons cela. Comme si vous étiez des êtres vides ! Vous êtes des êtres matériels, ne tentez pas de faire le vide, bien au contraire. Nous avons utilisé par le passé la comparaison des bouteilles. Bien sûr qu'il y a des bouteilles qui sont vides, mais ne sont-elles pas plus utiles lorsqu'elles sont pleines ? Vous pouvez au moins faire ce que vous voulez avec le contenu. Donc, lorsque vous méditerez, ne cherchez plus à faire le vide en vous pour attendre une réponse. Le simple fait de rêver est aussi une méditation, même à l'éveil. La création, l'art, la démonstration de votre savoir est une forme de méditation parce que vous exprimez. C'est important à savoir. Que vous cherchez votre place dans ce monde ! Vous n'êtes pas ici par hasard, cela n'existe pas. Vous n'avez pas pris de détours dans cette vie ; à ce jour, vous n'avez pas pris de chemins faciles à suivre. Vous êtes constamment dans l'analyse pour trouver votre place, l'analyse des termes et des faits. Mais vous êtes déjà à votre place ! Vous nous avez mentionné le cheminement de l'Âme mais, vous savez, c'est elle qui a choisi votre forme, pas le contraire. Si elle a choisi votre forme, c'est uniquement parce qu'elle entrevoyait la facilité que vous auriez actuellement de faire ce contact. Le seul besoin justifiable de vos vies est le contact avec l'Âme. Combien d'entre vous savent quand s'arrêteront leurs incarnations ? Combien ne savent pas non plus qu'ils peuvent influencer cela grandement, volontairement, et combien d'entre vous ont eu la crainte de le demander ? La majorité. Alors, de chercher le cheminement de votre Âme vous demandera de lâcher prise et de mettre de côté l'analyse de la création et de vous regarder aussi de temps à autre, pour ce que vous êtes réellement, pas pour ce que vous serez. Ne vous en faites pas pour le cheminement de votre Âme, elle trouvera très bien la sortie. Toutefois, avant que cela ne se fasse, nous aimerions que vous retrouviez son entrée. En cela, nous vous aiderons, car c'est en vous.

Merci de me mettre sur le bon chemin.

Vous savez, nous n'en avons pas terminé avec vous. Vous nous avez fait un résumé. Ce que nous allons vous demander, c'est de choisir une question au hasard, comme si le hasard existait. Ne portez pas attention à la question, juste nous la poser.

D'accord, si je me promenais dans une bibliothèque, est-ce que je pourrais mettre la main sur le bon livre ?

Si nous comparons votre vie jusqu'à ce jour, combien de livres avez-vous eus en main ? Plusieurs, n'est-ce pas ? Alors ce qui compte actuellement, ce n'est pas de vous promener dans une bibliothèque, mais de vous promener dans toutes ces connaissances accumulées, dans toutes ces observations de la vie, et de pointer seulement ce qui vous sera utile et de ne plus vous servir de ce qui sera inutile. Vous l'avez fait suffisamment jusqu'à ce jour. Dans votre cas, lâcher prise sera de lâcher prise par rapport à l'analyse pour pointer, justement dans cette bibliothèque qu'est la vie, ce qui sera réellement utile pour vous. Vous avez pointé du doigt un livre qui s'intitulait Oasis, vous l'avez ouvert aujourd'hui même et cela vous a permis d'entrevoir une autre possibilité que vous avez, une autre ouverture. Dans votre vie actuelle, vous n'avez pas l'habitude de faire trois travaux en même temps ; donc mettez les autres livres de côté et laissez le nôtre sur votre table de chevet. Ce livre se vivra plus facilement, il sera moins complexe. Vous aurez plusieurs autres questions pour nous, qui seront d'ailleurs fort intéressantes. *(Alpha et omega, I, 23-06-1990)*

Dans un état de conscience particulier, je sens comme deux moi qui se répondraient en moi, qu'est-ce que c'est ?

Voulez-vous voir deux moi ? Prenez un miroir et regardez-vous. Cela fera deux, pas physiquement, mais cela fera deux. À l'intérieur de vous, c'est la même chose, sauf que vous n'avez pas besoin de miroir. Dans certaines conditions, vous pouvez très bien entendre la version de l'Âme en même temps que la vôtre. Il ne s'agit pas de possession comme vos cinémas vous le montrent, ni de dédoublement non plus, sauf que vous faites deux avec votre Âme. Ne cherchez pas plus loin, ne cherchez pas là où il n'y a pas d'explications. Il y a des gens qui sont plus simples que d'autres.

C'est bien alors ?

Certaines personnes vous diraient que se parler à soi-même n'est pas toujours bien, qu'il y a des gens qui sont soignés pour moins que cela. Tout dépend des limites dans lesquelles vous le ferez. Il est certain que, si vous vous promenez sur un grand boulevard en vous parlant à vous-même, plusieurs (dont nous) pourraient se poser des questions à votre sujet, croyant que vous avez réellement perdu la réalité. Tout dépend dans quel sens vous posez cette question. Si vous faites allusion au fait que, lorsque vous êtes en certaines phases de méditation, vous avez vos réponses et que vous aimez discuter avec cet autre moi, il n'y a pas de trace de folie. Encore une fois, n'exagérez pas nos propos. Vous vous sentez bien ?

Oui.

Nous aussi et pourtant, nous sommes comme quatre échos dans cette forme [Robert], c'est-à-dire qu'il arrive parfois quatre images en même temps à ce cerveau. C'est pourquoi il y a souvent des arrêts qui peuvent vous sembler des hésitations, car ce cerveau ne peut pas tout traduire aussi rapidement que les images lui parviennent. *(Maat, II, 01-12-1990)*

Vous avez parlé d'abaisser la fréquence vibratoire...

En fait, c'est cette forme qui parlait. Nous ne faisons que penser pour qu'elle retransmette... c'est une blague !

Vous avez créé comme un court-circuit dans ma question...

Voyez comme c'est facile avec vos formes ! Quand ça ne va pas, pourquoi ne faites-vous pas la même chose ? Court-circuitez-vous. Continuez.

Est-ce que la méditation peut être un outil, selon les individus, pour abaisser la fréquence vibratoire ?

Vous avez déjà répondu. Vous avez dit « pour abaisser les vibrations » et, effectivement, c'est ce que fera la méditation. En d'autres mots, lorsque vous méditez, ce n'est pas pour communiquer avec nos dimensions ; ce n'est pas son but. Vous méditez pour abaisser les vibrations de votre cerveau, pour qu'il puisse s'entendre lui-même. C'est la raison de cette technique. Que vous appeliez cela yoga ou autrement, si vous méditez pendant cinq ans sans comprendre, ce sera inutile. Il ne vous faut que quatre ou cinq bonnes respirations, personne qui ne vous ennuie à vos côtés, dans certains cas une musique qui vous plaît, c'est tout. Calmez vos vibrations. Lorsque vous le faites, vous abaissez effectivement la conscience à un niveau qui permettra aux deux hémisphères de votre cerveau de s'unir, de créer, sinon ce sera un combat constant dans vos formes entre la recherche du spirituel et la recherche du confort. Et vous n'arriverez jamais ainsi à vous satisfaire. C'est à cela que la méditation doit servir. Mais à quoi sert-elle actuellement ? À créer du rêve, à créer des miracles. Qu'est-ce que cela donnerait de contacter des Entités si vous n'arrivez pas à vous entendre vous-mêmes ? Rien. Donc, méditer peut se faire consciemment dans l'activité quotidienne si vous savez comment vous y prendre. Nous vous montrerons comment le faire un peu plus tard dans les ateliers. Vos formes doivent y être préparées. C'est ce que nous faisons avec vous, nous abaissons certaines barrières, nous vous rendons plus conscients tout en réduisant un peu le conscient qui est trop fort. Nous le faisons pour que vous puissiez plus tard, par vous-mêmes, par des méditations conscientes, par des conscients conscients cette fois, choisir non seulement vos objectifs mais vos quotidiens, à la seconde près. *(L'envol, II, 11-04-1992)*

Il m'est déjà arrivé de transcender par suite d'une méditation. Qu'est-ce que vous en pensez ?

Transcender quoi ?

J'ai eu l'impression pendant plusieurs heures qu'il y avait une autre personne avec moi et que ce n'était pas moi qui agissait, mais l'autre. On appelle cela le moi supérieur ou le moi divin.

Vous trouvez cela normal ? Cela dépend des mots que vous utiliserez. Transcender ? Oubliez cela. Ce que vous aller faire, c'est que vous allez entrer en contact au niveau du conscient avec une dimension qui n'est pas physique, mais énergétique. Premièrement, lorsque vous êtes conscients de cela dans vos formes, cela vient de l'Âme. Deuxièmement, lorsque vous ne sentez plus votre forme, que vous avez un effet de flottement par exemple, cela se passe au niveau de votre propre énergie. Lorsque vous dépassez ce niveau, vous allez vers l'Âme elle-même et cela, c'est comme une deuxième personnalité qui s'installe en vous. Alors, vous ne ressentez plus la forme, vous ne ressentez qu'un état d'être tellement profond que c'est comme si vous étiez dans l'amour lui-même. C'est fort différent. Donc, selon le niveau, le résultat sera différent, mais vous resterez tout de même une forme humaine.

Mais cet état d'être, je l'ai eu après une méditation.

Disons après un bon repos profond.

Ou peut-être après une prise de conscience ?

Vous savez, nous tentons par tous les moyens de vous faire comprendre que vous faites trop d'efforts pour tout, que même dans votre quotidien, sans entrer en méditation comme vous dites, vous êtes déjà en contact. Le problème, c'est que vous voulez tous trop et que cela vous empêche de prendre conscience de ce qui est déjà en place. Méditer veut dire entrer en soi, avec ou sans sujet, afin de voir des buts perçus. Lorsque vous calmez vos formes en entrant en méditation, lorsque vous passez ces buts, lorsqu'il n'y en a plus dans votre tête, vous commencez alors à percevoir. Mais personne n'aurait pour but de vivre comme cela, sinon vous seriez tous endormis comme cette forme [Robert] afin d'avoir des réponses. C'est dans votre quotidien que vous devez être en éveil, pas dans votre tête. Voici une question pour vous. Lorsque vous respirez, y pensez-vous ?

De plus en plus.

Lorsque vous marchez ?

De plus en plus.

Lorsque votre peau se renouvelle ?

Pas souvent.

Lorsque vous cheveux repoussent ?

Non.

Et nous oublierons beaucoup d'organes... Vous pensez à votre foie ?

Oui.

Pas la foi, le foie.

Oui, j'y suis obligée.

Pour qu'il pousse deux fois mieux ?

Non.

Et qu'est-ce que cela change ?

Je le ressens mieux.

Le seul fait d'y penser ? Il y a 99 % de tout ce qui se passe dans vos formes que vous ne contrôlez pas. Cela se fait tout seul. Vous pouvez être dans un état plus confortable par le repos, par la concentration sur un organe comme le foie lorsque ce doit l'être, mais c'est votre état d'être qui fera la différence. Ce n'est pas votre pensée qui fera que votre foie ira mieux. Cela veut dire que, pour contacter votre Âme, c'est la même chose. Vous n'avez pas besoin de faire d'efforts pour prendre ce qui est déjà là. Tout ce qu'il faut, c'est d'en être conscient et de savoir que cela vient d'elle. C'est son but dans votre forme. Vous n'avez aucune idée combien vos vies seraient plus faciles si vous collaboriez un peu plus ! Tout ce qu'il faut, c'est d'écouter, pas d'entrer en vous. De toute façon, vous ne pourriez pas travailler en même temps ! Et quel but poursuivriez-vous, vous convaincre ? Ce n'est pas le but. Nommez-nous une occasion de votre vie où vous avez à penser à votre Âme. Trouvez une occasion où vous avez vraiment repensé à votre Âme.

Aujourd'hui.

L'occasion ?

La marche que j'ai faite ce matin.

Le but ?

De ressentir mon Âme de plus en plus.

Où cela se situe-t-il en vous ?

Partout.

Fort bien ! Et que recherchez-vous de plus que cela dans la méditation ?

Je ne médite pas régulièrement.

Mais lorsque vous le faites ?

Je le fais beaucoup plus parce qu'on me dit qu'on doit le faire.

Voyez votre réponse ? Quel est le bon sens, selon vous ?

De faire ce qui me tente.

Tout à fait !

C'est d'inverser complètement ce qui nous est enseigné... C'est correct ; il faut me le rentrer dans la tête.

Tout à fait. Certaines personnes qui ont à oublier feront des méditations, mais ce n'est pas ainsi que vous irez vers l'Âme, soyez-en assurés ! Ce n'est pas son but ; elle n'aurait pas besoin de forme pour cela. Ce que vous nous avez mentionné et dont nous nous sommes entretenues avec vous, c'était pour démontrer aux autres qu'en fait l'Âme n'est pas localisée, c'est dans toute la forme, et que de prendre conscience du bien-être total, c'est prendre conscience d'elle. Et plus vous ferez cela, plus cela se fera tout seul. Ce sont vos attitudes et les gens qui vous entoureront à l'avenir qui changeront, parce qu'elle ne permettra tout simplement pas le rapprochement de gens qui vous nuiront. Comment fera-t-elle cela ? Les Âmes le font entre elles, tout simplement, pour ne pas se nuire. Les vêtements dont il était question un peu plus tôt dans cette session, c'était aussi cela. La matière comme telle, nous tenons à le répéter une dernière fois, a aussi de l'énergie. Et lorsqu'une forme la porte, généralement plus de deux heures, pas plus que cela, la même énergie qui retient la matière retient une grande part de l'énergie de la personne qui la portait. Cela se ressent chez les autres. Imaginez sur un simple vêtement ! Imaginez dans une autre forme ! Imaginez d'en être conscient dans votre forme ! Nous avons vraiment apprécié votre question ; c'était bien dirigé. *(Luminance, II, 08-05-1993)*

Pouvez-vous expliquer cette phrase que vous avez dites au groupe Éclosion : « Combien cherchent à retrouver la réalité dans la méditation et, en fait, ouvrent les portes à l'oubli » ?

Ceux qui cherchent dans la méditation, que ce soit en groupe ou individuellement, ne s'orientent pas vers la résolution des problèmes qu'ils ont à régler mais se dirigent à chaque fois vers des facilités. C'est de la compensation. La méditation, lorsque c'est fait seul, est une compensation. Quand c'est fait en groupe, la direction qui lui sera donnée constituera le deuxième danger après le cancer. Vous ignorez tellement ce que vous faites ! Dans ce groupe, vous n'êtes pas au courant que nous avons mentionné que les espaces n'existent pas, que les énergies étaient entre ces faux espaces, que tout n'est qu'une façon de voir les grandeurs, soit l'infiniment petit ou l'infiniment grand. Lorsque vous êtes en méditation, vos formes sont totalement ouvertes. N'importe quelle personne peut y entrer et y placer ce qu'elle veut, les valeurs qu'elle veut communiquer. Nous sommes totalement contre la méditation en groupe ! Cela n'a jamais rien rapporté, si ce n'est un peu de calme parfois, un peu de relaxation, mais surtout de l'habitude, l'habitude de vous enfouir et de ne pas aller au devant de ce que vos formes devraient faire, c'est-à-dire s'exprimer pleinement. Méditer seul ? Si vous le faites pour vous reposer et que vous êtes dans un milieu propice pour le faire, d'accord ! Mais dans quel but ? Il faut bien comprendre que, si vous le faites dans le but d'aller vers l'Âme, de la percevoir, et que vous savez comment vous y prendre, c'est bien. Mais nous préférons vous faire comprendre autre chose. C'est lorsque vous vivez dans votre quotidien, bien éveillés, sur vos deux jambes, et que vous êtes heureux en vous, que l'Âme l'est aussi. Alors, vous n'avez pas besoin de vous poser de questions. Donc, la méditation a effectivement deux facettes et deux buts. Tout dépend de la direction. Nous ne tenterons pas de vous faire méditer, soyez-en certains. *(Luminance, II, 08-05-1993)*

Vous avez parlé de méditation. Or, les Maîtres spirituels nous ont appris que...

Oh ! que nous n'aimons pas ces termes. Des maîtres spirituels, quelle foutaise ! Qui sont ces gens s'ils ne sont pas comme vous ? Des Maîtres ? Ce sont très souvent des gens qui veulent imposer un point de vue et qui ont suffisamment de pouvoir psychologique pour convaincre, surtout pour vous convaincre de les admirer. C'est la plus grande foutaise ! Il n'y a aucun maître dans votre monde, sauf vous-mêmes ! Vous êtes maîtres de vos vies. Vous pouvez les manquer complètement ou vous pouvez les réussir totalement. Vous êtes maîtres de vous-mêmes ! Continuez votre question, mais n'utilisez jamais ce terme parce que si vous employez le terme maître, c'est que vous acceptez déjà dans votre vie que quelqu'un vous dise ce qui est bon pour vous alors que vous êtes la seule à le savoir ! Des maîtres, il n'y en a pas eu dans le passé et il n'y en aura jamais. Par contre, il existe des gens plus forts que d'autres. Mais reposez votre question.

Que pensez-vous de la méditation comme outil pour se réaliser, se développer et prendre contact avec soi-même ?

Mais enfin, lorsque vous vivez votre quotidien, c'est vous qui savez ce que vous aimez et ce que vous n'aimez pas ! Pas besoin d'être en méditation pour prendre conscience que vous n'aimez pas un travail ! Pas besoin d'être en méditation pour voir que vous n'aimez pas un frère, une soeur, un père, une mère ! Tout cela, c'est du quotidien. C'est du vécu qui vous rend malheureux, pas des rêves. La méditation a un but très précis : calmer vos nerfs, votre système nerveux. Il y a une bien meilleure façon de vous calmer que la méditation. Quelle est cette façon ? C'est une colle, comme vous dites... Comment peut-on, sans méditer, faire quelque chose qui repose – et ce n'est pas le sexe – à votre avis ? En acceptant de vous faire plaisir de temps à autre et de comprendre aussi que vous êtes heureuse lorsque vous vous faites plaisir. Avez-vous besoin de méditer pour vous faire plaisir ? Qu'est-ce que les gens recherchent dans la méditation, dites-le-nous ?

Le contact avec l'Âme.

Mais le contact avec l'Âme, c'est dans la démonstration de la réussite de votre joie de vivre. Le contact de l'Âme, c'est un état d'être. Vous en faites partie, vous le réalisez et vous le vivez pleinement. Ce n'est pas en méditant que vous devez chercher à entrer en contact avec votre Âme ; vous y passeriez une vie ! Et lorsque vous l'aurez trouvé, qu'en ferez-vous ?

Je continuerais à chercher...

Reformulez cela.

À réaliser tout mon potentiel ?

Son potentiel ou le vôtre ?

Le mien.

En contactant votre Âme ? Foutaise que cela ! Qu'est-ce qu'elle a à en faire de votre potentiel ? Qu'est-ce que vous avez à faire de son potentiel ? Choquant, n'est-ce pas ? Vous pensez réaliser votre potentiel avec votre Âme ? Comment ferez-vous cela ?

En aimant la vie, en étant plus vivante ?

Ah ! ce n'est pas ce que vous venez de nous dire ! Vous avez tous le même potentiel ; vous êtes tous faits pareils, mais vous ne le réalisez pas tous de la même façon. Nous vous avons dit : démontrez votre originalité, faites ce qui vous plaît vraiment pour bien vous sentir en vous et vous saurez ce qu'elle est. En d'autres mots, ne cherchez pas au plus profond de vous ce que vous faites. Faites-le ! Votre forme est physique ; votre Âme ne l'est pas. Elle est dans le physique ; elle n'est pas dans un endroit en particulier. Ne la recherchez pas, elle vous recherche déjà bien avant que vous ne la recherchiez.

Il faut faire le contraire, lui permettre de vous retrouver. Ce que nous vous montrons, c'est de lâcher prise sur ce que vous avez cru et qui n'a pas fonctionné, de façon à lui donner une chance d'aller vers vous et à vous donner une chance de vivre, mais pas en méditant, en agissant. Qu'est-il normal de faire avec des bouteilles vides ?

Les remplir ?

Dans ce cas, pourquoi faire le vide en vous ? Qu'y mettrez-vous ?

Laisser venir la plénitude.

Reformulez cela pour tout le monde.

Laisser rentrer la vie.

Ce n'est pas en méditant que vous ferez cela, mais en écoutant en vous à chaque instant de votre vie ce qui est dit, ce que vous entendez. C'est en apprenant à ressentir votre forme dans ce que vous faites de façon à vous donner encore plus. C'est ainsi que vous lui montrerez à tirer les ficelles pour vous dans cette vie. Elle ne veut pas votre malheur ; elle n'a pas à prendre une forme comme la vôtre pour revenir dans ce qu'elle n'a pas bien vécu dans des vies passées ; ce n'est pas son rôle. C'est une nouvelle forme. Elle n'a aucun jugement sur votre forme. De toute façon, lorsque votre forme ne sera plus, elle sera quand même ! À vous d'en profiter, mais pas en méditant. Nous ne disons pas que c'est mal ! Faites-le, cela vous reposera, cela vous aidera à voir plus clair. Nous sommes d'accord sur ce point. Méditer avant de vous coucher ? Très bien, vous aurez un sommeil différent. Mais ce que nous suggérons, c'est une méditation active, au jour le jour. Dans le jour, lorsque vous avez les deux pieds par terre, ne cherchez pas à les attacher ; faites en sorte qu'ils aillent là où vous le voulez vraiment. Cela, c'est utile ! N'est-ce pas ce que vous faisiez lorsque vous étiez très jeunes, un pas devant l'autre pour aller où vous vouliez aller ? Réapprenez ! Renaître, c'est cela. C'est vivre un peu de déséquilibre, jusqu'à ce que vous trouviez votre équilibre, la réalité ! Vous trouverez du vide dans vos formes ; plus vous irez en vous, plus vous ferez le vide. Demandez à ceux qui pratiquent le plus ces techniques ce qu'ils vivent et ils vous diront : « Oh ! j'oublie même que je vis. Je n'entends plus rien, je ne vois plus rien, je ne me ressens plus. » À quoi bon ? C'est tout le contraire que votre Âme veut, elle veut vous ressentir. Revenez vers l'originalité. Revenez vers ce que vous aimez. Corrigez ce que vous n'aimez pas. Votre vie aura alors un sens et vous méditerez consciemment. Méditer dans le vrai sens veut dire prendre ce que vous entendez et agir. Nous préférons mijoter à méditer, cela convient beaucoup plus à vos formes. Prenons des exemples passés, même s'ils existent encore. Il y a des gens dans des religions ou des sectes, peu importe, qui vivent comme il y a 1000 ans, qui répètent les mêmes choses, font les mêmes gestes, développent au plus profond du terme la méditation même créative – c'est ce qu'ils en disent. Une vie pour faire cela, une vie ! Et qu'ont-ils changé ? Qu'ont-ils de plus qu'une personne qui profite pleinement de la vie ? Vous avez une réponse ?

Ils sont dans un état de bonheur et de béatitude constant.

Bien sûr, comme les drogués, ils oublient leur forme. Un état constant ? Ils ne font rien, sauf d'entrer en contact avec une dimension qui n'est pas la leur. Les plus habitués du moins pourront ressentir notre dimension. Voilà ce qu'ils ressentent. Mais si c'était cela la vie, pourquoi auriez-vous vos formes ? Ce n'est pas ce que les Âmes veulent, ce n'est pas ce que nous voulons. Nous n'avons pas besoin de formes droites comme des poteaux, assises sur leur postérieur et qui se disent dans la dimension la plus élevée. Leurs Âmes proviennent de là, qu'est-ce que cela fait dans une forme ? Cela n'a aucun but, aucun sens, sauf vous faire envier leur possibilité. Et pour envier cette possibilité, il ne faut pas vraiment aimer la vie. Nous vous le disons : trouvez mieux que cela, vivez, agissez, bougez, trouvez ce qui vous rend heureux et vous le serez. Ainsi, vous ne songerez jamais à vous enfuir en vous, ce qui n'est pas le but de la vie. Vous avez d'un côté des formes qui recherchent cela et, de l'autre, des Entités qui veulent des formes pour qu'elles bougent. Ne trouvez-vous pas que c'est un non-sens ? Remettez de l'ordre dans cela. À notre avis, qu'une personne se drogue pour ne plus voir la vie ou qu'une autre pratique ces méthodes à plein temps et prenne une vie pour faire ce qu'une seule pilule de drogue réussit à faire en moins de cinq minutes, c'est du temps perdu. C'est du temps complètement perdu parce que cela n'apportera rien à votre monde ; cela ne le changera pas non plus. Même si ces gens s'expriment de façon différente, ils n'auront jamais le vécu d'une personne qui a une vie bien remplie. *(Co-naissance, II, 08-10-1994)*

Pourquoi la totalité des groupements spirituels conseillent-ils fortement la méditation ?

Que font le plus les gens qui suivent de tels groupes ? Ils se rassemblent plus souvent. Qu'est-ce que ces gens font lorsqu'ils sont ensemble en plus de méditer ? Qu'est-ce que cela leur rapporte le plus ?

Une amitié, une rencontre, un échange.

Pas vraiment plus que cela ! Vous ne rencontrerez pas votre Âme dans des méditations guidées. Soyez sérieux ! Nous vous disons qu'il y a plus de danger à faire cela qu'à prendre des matières cancérigènes. C'est dangereux. Entre formes, lorsque vous êtes en état de recevoir, une seule personne qui est bien au courant de tout cela peut émettre ses propres énergies suffisamment fort pour créer des habitudes chez les autres. Cela devient une habitude, et cela vous prend absolument d'autres méditations. Pire que cela, des informations sont retransmises comme cela ; chez les gens les plus habitués, cela fonctionne ainsi. Ce n'est pas comme cela que vous ressentirez ; vous allez vous relaxer, mais sans plus. Sans valeur. Les plus belles méditations sont conscientes et volontaires. Nous préférons une personne qui peut nous dire, comme l'intervenante précédente : « Lorsque je marche seule et que je ressens au complet dans ma forme cette vibration qui représente mon Âme, cela se transforme en amour en moi. » Mille personnes qui méditent ne valent pas cela, soyez-en assurés ! Ce serait plutôt de s'enfouir la tête, de ne pas voir la réalité. *(Luminance, II, 08-05-1993)*

Comment nous protéger des Entités néfastes lorsqu'on sent à l'intérieur des intuitions négatives ?

Alors, c'est que votre niveau de concentration n'est pas suffisant. Vous vivrez cela lors de méditations quand votre niveau n'est pas assez profond. Vous êtes un être qui aime penser et nous vous laisserons réfléchir à cela. *(Les chercheurs de vérité, II, 17-02-1990)*

u'est-ce que vous pensez de la méditation ?

Belle perte de temps ! Pourquoi cherchez-vous à devenir comme des bouteilles vides ? Trop de gens cherchent à faire le vide, car ils croient mieux entendre en faisant le vide. C'est tout le contraire. Si vous nous demandez si la méditation peut reposer vos systèmes nerveux, nous répondrons que c'est effectivement ce qui arrive. Si vous méditez dans le but d'être vous-mêmes, vous vous cachez de la réalité. Vous n'êtes pas des bouteilles ! Ne cherchez pas à vous remplir de fausses illusions. Vous voulez méditer réellement ? C'est très simple, créez. Créez-vous vous-mêmes, acceptez de vous emplir avec vous-mêmes, d'être réels ; ne vous remplissez pas d'illusions. Il y a 2000 à 3000 de vos années, la méditation avait sa place parce qu'il y avait des contacts établis, et même des dématérialisations dans certains cas. Nous avons déjà observé cela. Dans le monde actuel, tenter de faire la même chose qu'il y a 1000, 2000 ou 3000 ans est ridicule. Vous vivez dans un monde actif, superactif, bruyant à tous les niveaux, plus réel que jamais. Vous cacher en vous-mêmes ne vous donnera pas de réponse. Vous avez voulu vous exprimer, vous avez voulu démontrer avec vos formes – nous nous adressons aux Âmes, qui écoutent très bien – il faut donc aller au bout maintenant et être vous-mêmes. Vous n'aurez pas besoin de méditer si vous êtes vous-mêmes, vous serez heureux de l'être ; et si vous êtes heureux de l'être, vous ne vous camouflerez pas à l'intérieur de vous. Vous ne chercherez pas à vous vider de vos pensées. Ou vous serez trop occupés à aimer, ou vous serez trop malheureux et vous chercherez à méditer. Nous vous l'avons dit, ne faites que visualiser et ce sera déjà vu par Dieu, par l'Ensemble et par votre Âme. Ne faites pas le vide, sinon votre Âme dormira et ce ne serait pas plus vu. Même les moines ont des problèmes à faire le vide actuellement parce que, même s'ils méditent profondément, cela ne leur donne rien de plus. Oh ! nous venons d'entendre quelques commentaires : « Mais leurs prières sont davantage entendues » Foutaise ! Dans notre façon de voir, nous sommes beaucoup plus occupées à bien voir ceux qui créent, à voir les Âmes qui maîtrisent bien leur forme et les formes qui les utilisent. C'est pour nous la plus belle demande, la plus belle prière. Ceux qui prient du matin au soir, nous ne les voyons plus. À force d'entendre répéter les mêmes prières, nous n'entendons plus rien, eux non plus d'ailleurs. Soyez réalistes dans vos vies. N'utilisez pas de faux-fuyants, soyez vous-mêmes. Effectivement, vous allez éloigner de vous certaines personnes, mais vous allez en attirer d'autres qui auront une meilleure valeur pour vous et avec qui vous apprendrez. C'est cela voir la vie de façon positive. Faire de la méditation pour ne pas voir ses problèmes familiaux ne les règlera en aucune façon. Si vous méditez pour rétablir vos systèmes nerveux, pour laisser votre cerveau faire son propre ménage, alors la méditation remplit son rôle réel. Mais il y a des moyens beaucoup plus rapides actuellement que de faire des efforts inutiles qui épuisent vos cerveaux seulement à penser comment méditer ; d'ailleurs, dès qu'une mouche passe, vous revenez à la réalité. Ce n'est pas réel. Il existe des moyens technologiques actuels beaucoup plus avancés. Selon ce que nous observons, ce sera démontré plus tard et ce sera beaucoup plus actif. *(Les Âmes en folie, I, 24-04-1991)*

Comment méditer ou prendre contact avec son Âme, vivre en harmonie avec elle et avoir nos réponses ?

C'est une très bonne question puisqu'en fait, méditer n'est pas faire le vide. Cela nous amuse toujours d'observer vos formes lorsqu'elles se concentrent avec force, avec insistance, pour faire le vide, pour ressentir.

Nous avons toujours utilisé la comparaison des bouteilles. Lorsqu'elles sont vides, elles sont vides. Vos formes sont pleines, elles sont faites de matière, elles doivent donc être ce qu'elles sont ; elles doivent s'exprimer, aller au devant de la vie, ne pas attendre les effets. Vous mentionnez la méditation. En ce qui nous concerne et ce qui concerne votre Âme d'ailleurs, la meilleure méditation possible, c'est de faire ce qui vous vient à l'idée lorsque c'est le temps, c'est d'agir. Voilà ce qu'est la méditation. C'est de méditer sur vous-mêmes, mais de façon consciente, c'est d'agir. Vous refermer sur vous-mêmes ne fera que vous faire oublier votre vie, vos problèmes. Il y a un bon côté à la méditation [faire le vide] ; cela détend vos formes, du moins les plus stressées ; mais cela provoque aussi de l'énervement chez ceux qui veulent absolument se tendre. Combien de fois n'avez-vous pas eu des intuitions que vous n'avez pas suivies, pour ensuite vous rendre compte, après coup, que vous auriez donc dû le faire. Il arrive que l'Âme vous souffle des mots, que cela vous semble plein de bon sens, mais que le conscient les rejette tout de même parce qu'ils ne viennent pas de son analyse. Vous avez tous vécu la peur de perdre conscience, la peur de perdre la fonction d'analyse, la peur de faire des choses dans vos vies qui ne seraient pas pesées et soupesées. L'intuition est une forme de méditation active. La méditation passive ne sert qu'à vos formes, qu'à les relaxer et les rendre aptes à écouter. Mais une bonne marche est aussi une méditation. En effet, une marche solitaire à observer la vie qui vous entoure est une forme de méditation. Vous n'êtes pas une bouteille. Ne cherchez pas à faire le vide parce qu'une fois que c'est vide, c'est vide. Tout ce qui se passera, c'est que vous rendrez vos formes inconscientes à la longue, vous les rendrez dans un état qu'elles accepteront, c'est-à-dire de ne plus penser pour être bien, de refuser de trop voir ce qui les entoure et de se camoufler en soi. Ce n'est pas de la méditation, c'est du camouflage. Méditer, c'est agir. Ceux qui vous diront être des maîtres de méditation, demandez-leur ce qu'ils font. S'ils vous disent qu'ils se referment sur eux-mêmes au point de tout oublier, nous vous suggérons de prendre un breuvage embouteillé que vous aimez, de profiter de ce qui est à l'intérieur et de leur donner le contenant vide. Demandez-leur alors ce qu'il y avait à l'intérieur et si c'était bon ; en fait, ils n'auront rien vu. Vous savez, il existe d'autres types de formes. Si vous étiez dans ce monde uniquement pour faire le vide, les Âmes auraient pu choisir ces autres types de formes. *(Renaissance, I, 14-09-1991)*

Que de fois nous observons des gens qui tentent de se retrouver seulement par la méditation et qui ne se retrouvent pas plus. Entre nous et vous, vous faites beaucoup trop d'efforts. C'est beaucoup plus simple. Vous verrez que nous allons vous aider à faire du ménage dans vos idées. Vous avez tout notre amour.

Oasis

Transcontinental
IMPRESSION
IMPRIMERIE GAGNÉ